てのひら手帖

図解 日本の刀剣

久保恭子 監修

東京美術

はじめに

日本刀は世界に誇るべき日本の文化財です。武器ではありますが、それと同時に高度な製造技術により追究された機能美は高く評価され、信仰の対象ともなり、権威の象徴ともなってきました。

現在日本刀が生まれてから約千年が経ちました。長い歴史のなかで日本刀も時代に対応し姿を変えてきましたが、その輝きは今なお、私たちの心を捉えて離しません。

人々の弛《たゆ》まぬ永き営みが、今日私たちが目の前にする輝きであり、それを遵守《じゅんしゅ》し継承していく「伝統」のうちに、日本刀は現在もなお息づいています。

2014年10月　久保恭子

日本刀の魅力

日本刀の、優美な反りをもつ姿に魅力を感じる方は
多いでしょう。日本刀の造込みは
その製作された時代性を反映しています。
また研ぎ澄まされた地鉄《じがね》やさまざまに表現された刃文は、
作者の国や系統をよく伝えてくれます。
刀身を保護する刀装は、それぞれ専門の職人による
伝統技術の集大成です。
日本刀は日本固有の文化であり、比類無き
総合芸術といえるでしょう。

ここが魅力!

輪反《わぞ》り※の姿が気品高く、三鈷付剣《さんこつきけん》※※の刀身彫が映える

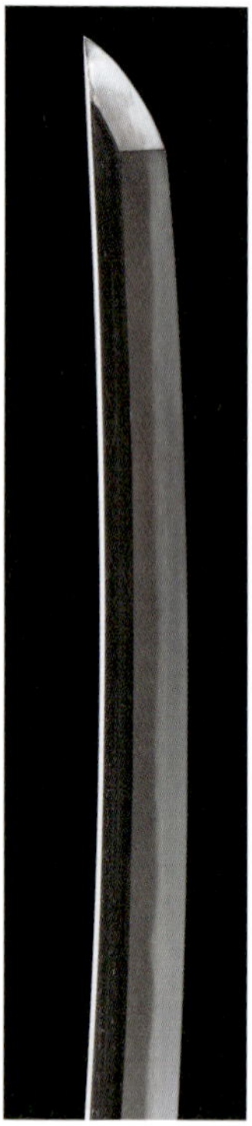

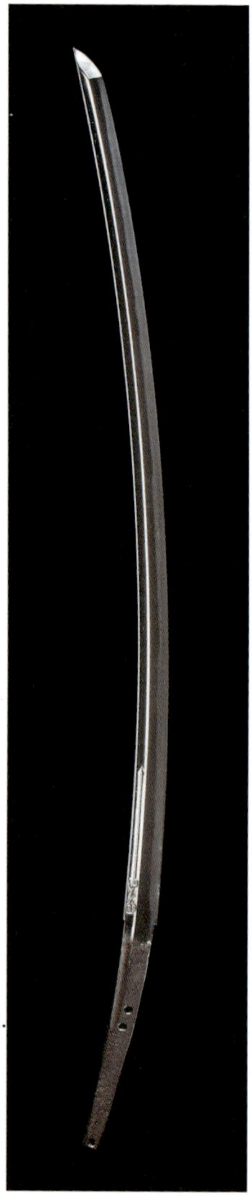

国宝 太刀《たち》
銘 国行《くにゆき》(来《らい》)

鎌倉時代中期
長さ76.6cm　山城(京都府)

国行は山城国の名門、来派《らいは》の祖と伝えられる。播磨国(兵庫県)明石松平家伝来。

※反りの中心が刀身の中央にあること。
※※→p48

○p4～16に掲載の作品はすべて刀剣博物館所蔵

ここが魅力!

大和物《やまともの》※ならではの渋みを発揮した名品

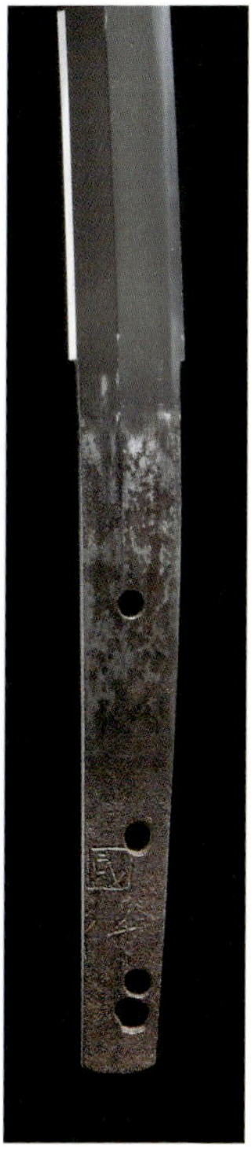

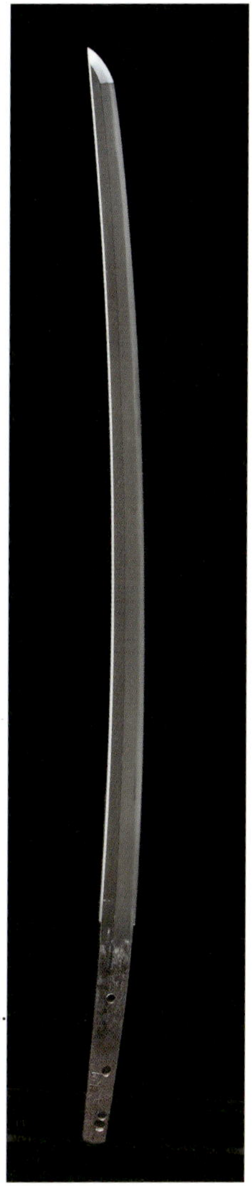

国宝 太刀《たち》
銘 国行《くにゆき》（当麻《たいま》）

鎌倉時代後期
長さ69.8㎝　大和（奈良県）

大和五派※（p65）のうち、当麻派の始祖である国行の作。備後国（広島県）福山藩主阿部家伝来。

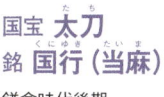

ここが魅力!

後水尾《ごみずのお》天皇の御料《ごりょう》※である、地刃《じは》が冴えた出色の出来《でき》

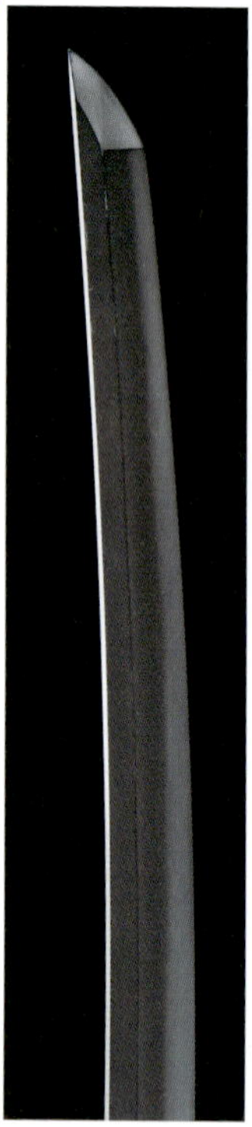

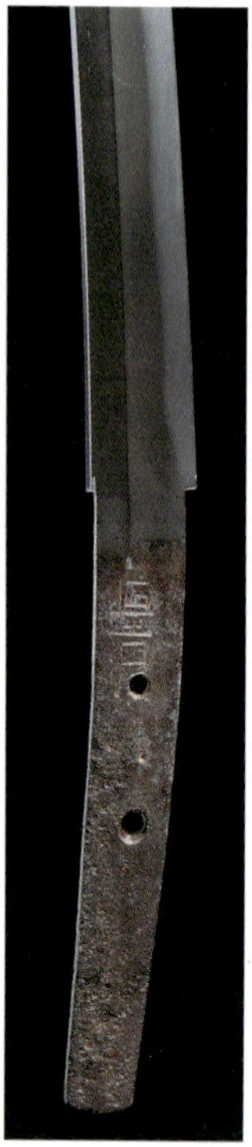

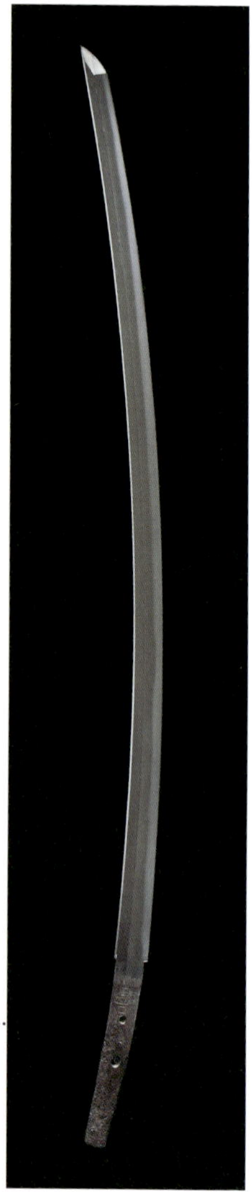

国宝 太刀《たち》
銘 延吉《のぶよし》（龍門《りゅうもん》）

鎌倉時代後期
長さ73.4㎝　大和（奈良県）

延吉は大和国吉野村龍門に居住した千手院派（p65）の流れを汲む。大和と備前の二つの作風が混在し、本作は備前の作風を伝える。

※天皇が用いるもの。

ここが魅力!

入念な塗りと装飾で優雅な雰囲気を醸す

金粉の緻密な集合が梨の実の果肉部分のように見える金梨子地。

金梨子地《きんなしじ》菊紋散鞘《きくもんちらしさや》糸巻太刀拵《いとまきたちこしらえ》※

江戸時代初期
延吉（p6）の附《つけたり》。

梨子地に、菊紋は蒔絵と微細な螺鈿《らでん》で細工されている。

※→p96

ここが魅力!

地刃に古備前物の特色を表す、雅味に溢れた優品

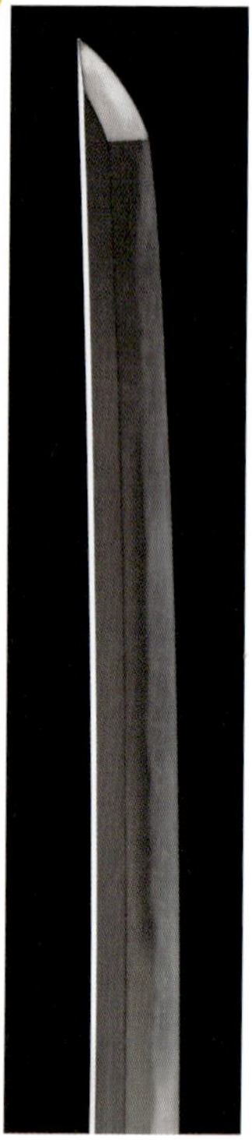

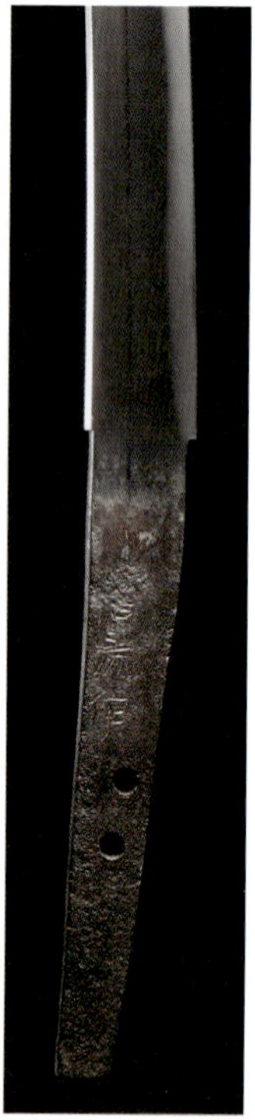

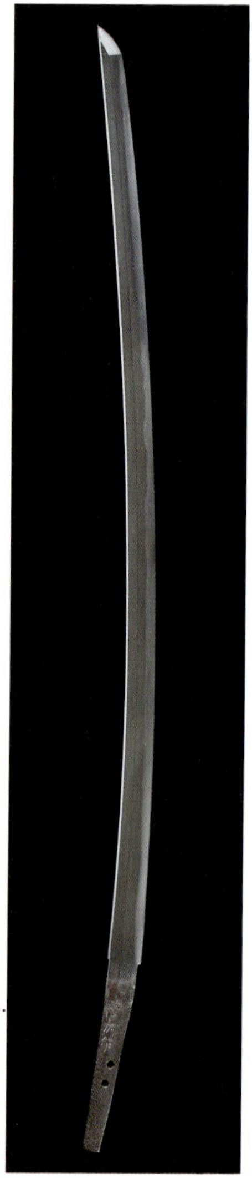

重要文化財 太刀《たち》
銘 信房《のぶふさ》作

平安時代末期〜鎌倉時代初期
長さ76.2㎝　備前（岡山県）

古備前の名工、信房の作。八代将軍吉宗が贈与したもので、因幡国（鳥取県）池田家伝来。

ここが魅力!

茎《なかご》※に年紀資料が入った、貴重な雲次《うんじ》の名品

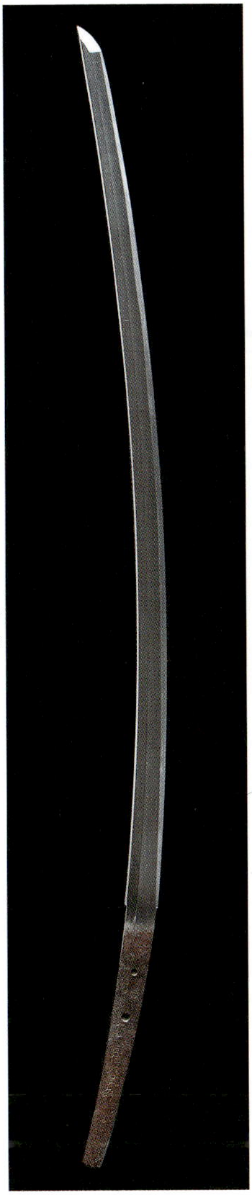

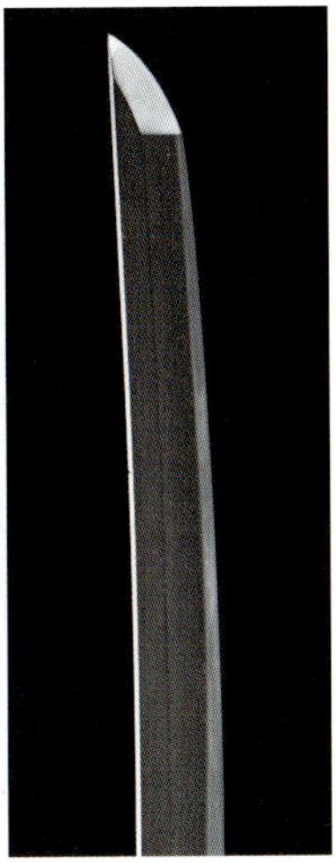

重要文化財 太刀《たち》
銘 備前国住人雲次《びぜんこくじゅうにんうんじ》 正和二二年十月日

鎌倉時代末期（1315年）
長さ78.8㎝　備前（岡山県）

雲次は備前国宇甘《うかん》で作刀していた刀工群、宇甘派（雲類ともいう）の名工。備前伝（p65）のなかに山城伝（p65）が混在する独特の作風で、刀身上部に切込が残り、当時の武功が偲ばれる。仙台藩（宮城県）藩主伊達政宗遺愛の品と伝わる。

※→p21

ここが魅力!

備前の誇りを感じさせる、力強く雄渾《ゆうこん》な姿

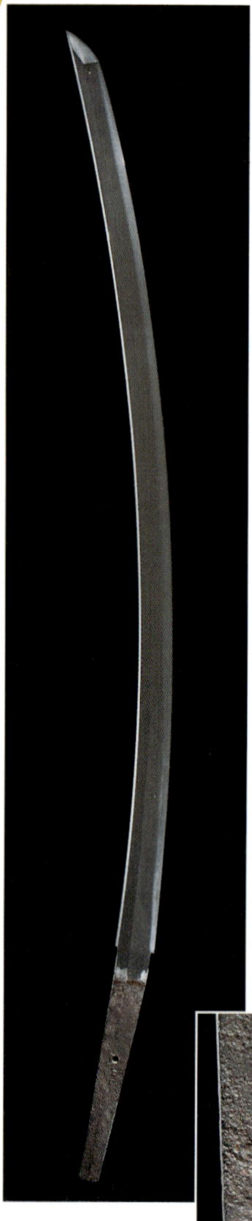

重要文化財 太刀《たち》
銘 正恒《まさつね》

鎌倉時代初期　長さ78.4cm
備前（岡山県）

古備前を代表する名工、正恒の作。平安時代末期より鎌倉時代にかけて銘跡を繋ぐ。本作は同銘作中、総体に新味を感じさせる。豊前小倉藩（福岡県）小笠原家伝来。

黒漆《くろうるし》太刀《たち》拵《こしらえ》

南北朝時代
正恒（左）の附。

鞘の肉取りを薄く仕上げた平鞘は、黒漆の下に皮を巻き強度を高めている。

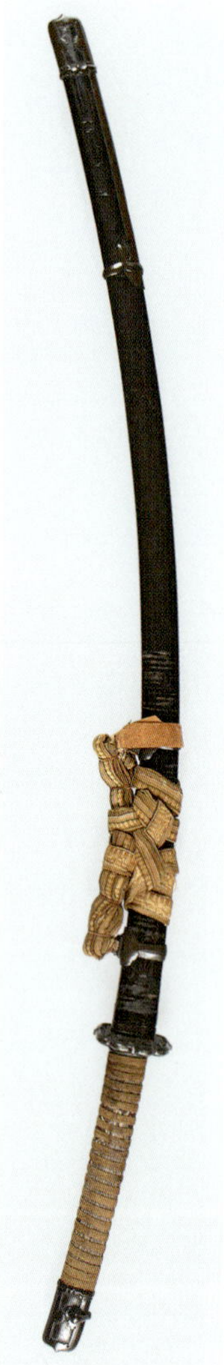

ここが魅力!

鎌倉時代からの伝統的技術を引き継いだ古い様式

ここが魅力!

垢《あか》抜《ぬ》けた配色が美しい

黒漆塗朱銀蛭巻鞘《くろうるしぬりしゅぎんひるまきさや》 安親金具打刀拵《やすちかかなぐうちがたなこしらえ》

江戸時代中期

黒漆の鮫皮塗に朱と銀を寄り合わせ、螺旋状の蛭巻で塗り分けている。薩摩（鹿児島県）、黒田清隆の指料《さしりょう》。

目貫《めぬき》の意匠は駿馬図。

ここが魅力!

中国の故事《こじ》を意匠化した名工安親《やすちか》の入念作

張果老図透鐔《ちょうかろうずすかしつば》　銘 安親《やすちか》

江戸時代中期を代表する名工、土屋安親の作。出羽国鶴岡（山形県）に生まれ、江戸に出て神田に居を構えた。独特な意匠と高い技術力で名声を博す。

張果老は中国の仙人。白いロバに乗って移動し、休むときはロバを紙のように折り畳み、乗る際には瓢箪《ひょうたん》から水をかけて元に戻したという故事がある。

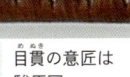

ここが魅力!

九曜紋《くようもん》の金具が美しい、肥後拵の貴重な作例

藍鮫塗《あいざめぬり》九曜紋《くようもん》金具《かなぐ》
肥後《ひご》打刀拵《うちがたなこしらえ》

江戸時代後期

総金具が肥後国（熊本県）の金工、小林隆忠の作で、意匠は細川家の家紋、九曜紋である。小林隆忠は細川家の抱工であった。鞘は藍鮫の皮を巻き、黒漆を掛けて砥石で研ぎ出す。

鶴足皮《つるあしがわ》包《つつみ》葵紋《あおいもん》散《ちらし》
鞘《さや》殿中《でんちゅう》鐺《こじり》打刀拵《うちがたなこしらえ》

江戸時代末期

鞘の鐺が鯉口《こいくち》よりも幅広く、片削《かたそぎ》形に作られたものを殿中鐺という。鶴の足皮を用いた拵は非常に珍しく、黒漆で葵紋を描く。徳川将軍家より山岡鉄舟、岩倉具視へと伝えられた。

ここが魅力!

珍しい鶴の足皮を用いた、徳川将軍家伝来の拵《こしらえ》

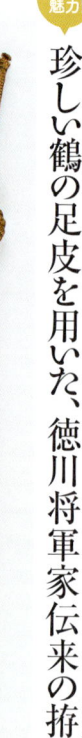

ここが魅力!

二王《におう》派の祖、清綱の華やかな作

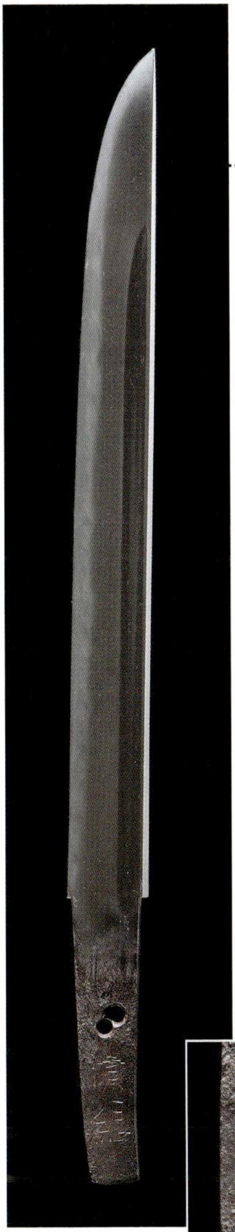

重要文化財 短刀《たんとう》
銘 清綱《きよつな》

鎌倉時代末期
長さ27.6cm　周防（山口県）

二王派は鎌倉時代から室町時代に周防で栄えた。刃文（p42）に高低があり、清綱の常の作と比べ珍しい出来の作品。

重要文化財 短刀《たんとう》
銘 兼氏《かねうじ》

南北朝時代
長さ19.6cm　美濃（岐阜県）

兼氏は大和出身で、正宗十哲《まさむねじってつ》※の一人といわれる名工。後に美濃（p66）に移住し、美濃刀工の祖となった。

※鎌倉時代末期に相州伝（p66）を完成させたとされる正宗の10人の高弟。

ここが魅力!

端整な短刀姿に覇気がみなぎる

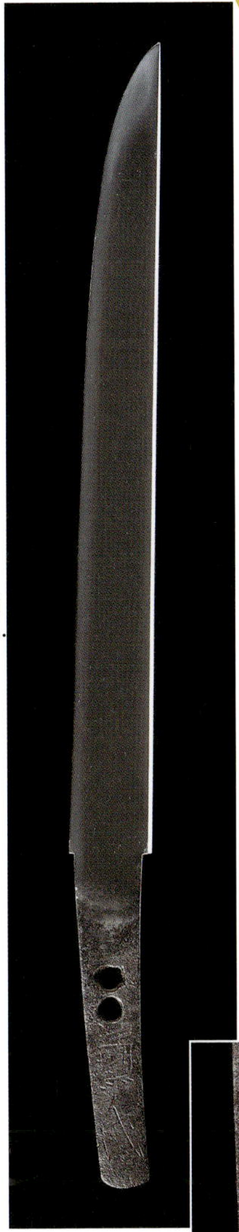

ここが魅力!

霊獣を金色で華やかに表現

堅木《かたぎ》霊獣文《れいじゅうもん》
鞘腰《さやこし》刀拵《がたなこしらえ》

江戸時代

ここが魅力!

多様な塗りをひとつの鞘に

変塗《かわりぬり》尽《づくし》鞘《さや》唐木《からき》柄《つか》
小《ちい》さ刀拵《がたなこしらえ》

江戸時代

ともに珍木の素材を活かした短刀拵。左は空想の霊獣を金のみで表現した華麗さが光り、右はまるで塗り見本のような、さまざまな鞘塗が楽しい。霊獣とは「応龍《おうりゅう》」(小柄《こづか》・笄《こうがい》・縁《ふち》の部分)、「鳳凰《ほうおう》」(鞘塗の部分)、「麒麟《きりん》」(目貫《めぬき》の部分)、「霊《れい》亀《き》」(栗形《くりがた》・鐺《こじり》の部分)のこと。

ここが魅力!

氷《ひ》割《わり》文《もん》の螺《ら》鈿《でん》がきらめく、吉祥に満ちた大小拵

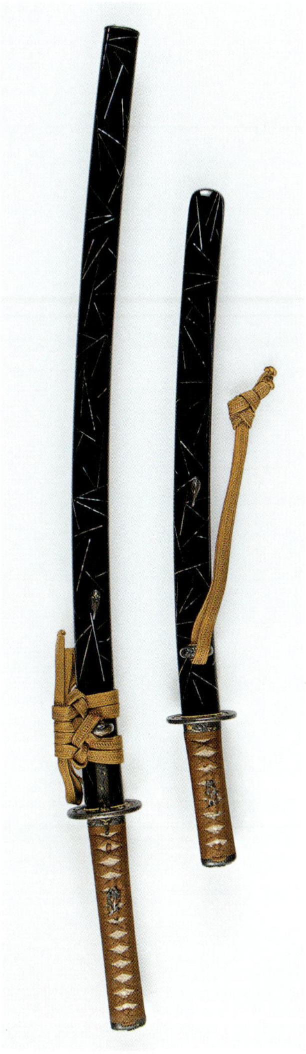

黒蠟色塗《くろろいろぬり》氷割文《ひわりもん》螺鈿《らでん》鞘《さや》大小拵《だいしょうこしらえ》

江戸時代末期

大小とは打刀と脇指《わきざし》を合わせて一組とした形式で、およそ室町時代末期に成立した。江戸時代には黒蠟色塗が正式な登城用の形式となる。氷割文とは、元日の朝に初日《はつひ》の出を仰ぎ足下の氷が割れ、それに初日が反射し輝く様を捉えた意匠で、吉祥を意味する。

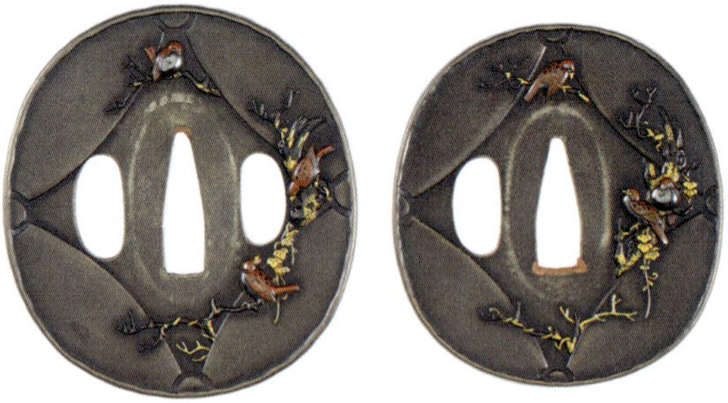

雀海中蛤図大小鐔の表

ここが魅力!

総金具は雀がテーマ

拵の分解

p15の大小拵の総金具は雀を画題とし、多種の色金を駆使し丁寧にまとめている。鐔《つば》にある「雀海中蛤図《すずめかいちゅうはまぐりず》」とは、晩秋に海辺で騒ぐ雀が蛤に似ているところから、雀が海に入り蛤となるのではという俗話が故事となったもの。注視すれば裏面の蛤は雀の顔。

雀海中蛤図大小鐔の裏

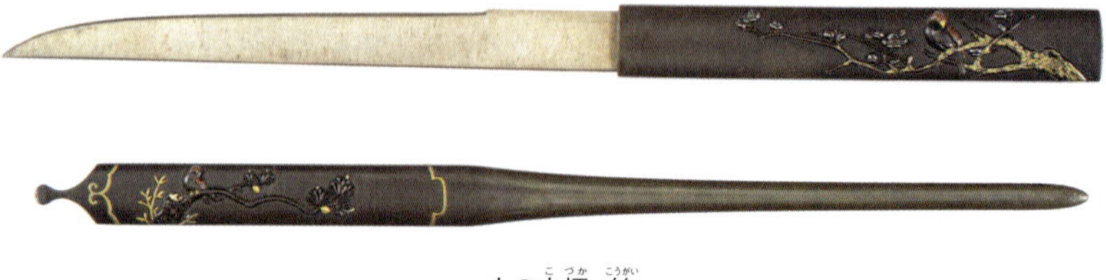

大の小柄《こづか》・笄《こうがい》

笄

源平《げんぺい》合戦《かっせん》図《ず》三所物《みところもの》

小柄　銘　**後藤栄乗《ごとうえいじょう》（花押）**

笄　金象嵌《ぞうがん》銘　**後藤栄乗（花押）**

目貫　無銘　**後藤栄乗**

桃山時代

小柄・笄・目貫（p106）の３点を三所物といい、通例は同じ意匠で揃えられる。ここでは源平合戦の名場面をそれぞれに表している。作者は家彫（p106）後藤家の六代目。その作品には本作のような合戦図が多く、量感に溢れた鎧武者の描写が巧みである。現存する銘のある作品は極めて少ない。

小柄

目貫

東京藝術大学所蔵「後藤家小道具手控」所載・個人蔵

目次

まずは日本刀の基礎！

日本刀は各部分ごとに特有の名称があります。
また形式により、現在の定義に従って
呼び方を変えて分類しています。
ここでは、日本刀の時代による大きな流れと、
日本刀を学ぶための
基礎知識を紹介します。

日本刀各部の名称

日本刀各部の名称を解説しています。
日本刀の説明には、このような独特な言葉が使われています。

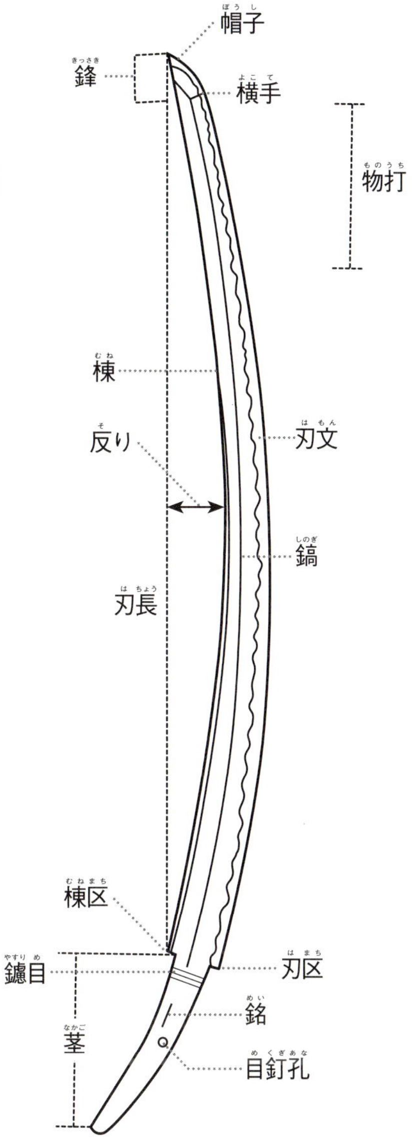

日本刀の大きな流れ

現在「日本刀」と聞いて一般的にイメージされるのは、反りのついた太刀《たち》でしょう。その太刀が出現したのは平安時代中期以降からで、それ以前は反りのない直刀《ちょくとう》が使われていました。直刀は斬ることよりも突くことにその用法の特色があり、次の時代に出現した反りのある太刀は斬ることを主目的としています。

直刀から太刀への変化の最大の要因は、戦闘様式の変遷です。直刀期までの時代と違い、平安時代末期からは、反りのある太刀と弓矢が馬上戦の最大の武器として威力を発揮しました。そして合戦のたびに改良工夫がなされ、更に実用的効果をあげるために研究・改善が行われていったのです。

また平安時代後期から鎌倉時代にかけて、大和《やまと》、山城《やましろ》、備前《びぜん》、相模《さがみ》、後発の美濃《みの》の五か国を中心としてそれぞれの作風が生まれ、各地に名工が輩出しました。日本刀の世界では、明治以降これを「五箇伝《ごかでん》」(p64) と呼ぶようになります。

江戸時代の新刀期になると、自ら学んだ伝法に他の伝法を合わせて新しい技法を誕生させる作家も各地に現れ、その技法は現代刀にも受け継がれています。

日本刀剣史略年表

時代とともに日本刀の様式も変化していきました

年号		刀剣史上の区分	主な出来事	刀剣様式の変化
古墳	400			直刀
飛鳥	600	上古刀	大化の改新(645) 白村江の戦い(663) 壬申の乱(672)	直刀の盛行
奈良				
平安	800		坂上田村麻呂蝦夷平定(801)	
			承平・天慶の乱(935～41)	湾刀太刀の発生
	1000	古刀	前九年の役(1051～62) 後三年の役(1083～87)	太刀
			保元の乱(1156) 平治の乱(1159) 源頼朝、伊豆に配流(1160)	腰反りの高い太刀
鎌倉	1200		蒙古襲来(1274・1281)	短刀の隆盛
南北朝			南北朝の戦い(1336～92)	長寸幅広の太刀
室町 / 応仁	1400		応仁の乱(1467～77)	打刀の発生 鎬造脇指の発生
文禄		末古刀	豊臣秀吉刀狩令(1588) 朝鮮出兵(1592・1597)	片手打刀の流行 打刀
安土桃山 / 慶長	1600	新古境 新刀	関ヶ原の戦い(1600) 大坂冬の陣(1614)	幅広・大峰の南北朝体配 反りの浅い刀の流行
江戸 / 元和				反りのやや深い刀へ
明和	1800	新々刀	戊辰戦争(1868～69) 廃刀令(1876) 日清戦争(1894～95)	鎌倉期の太刀再現(復古刀) 南北朝期の太刀再現
明治 大正 昭和		現代刀	日露戦争(1904～05) 太平洋戦争(1941～45)	軍刀の制作
平成	2000			

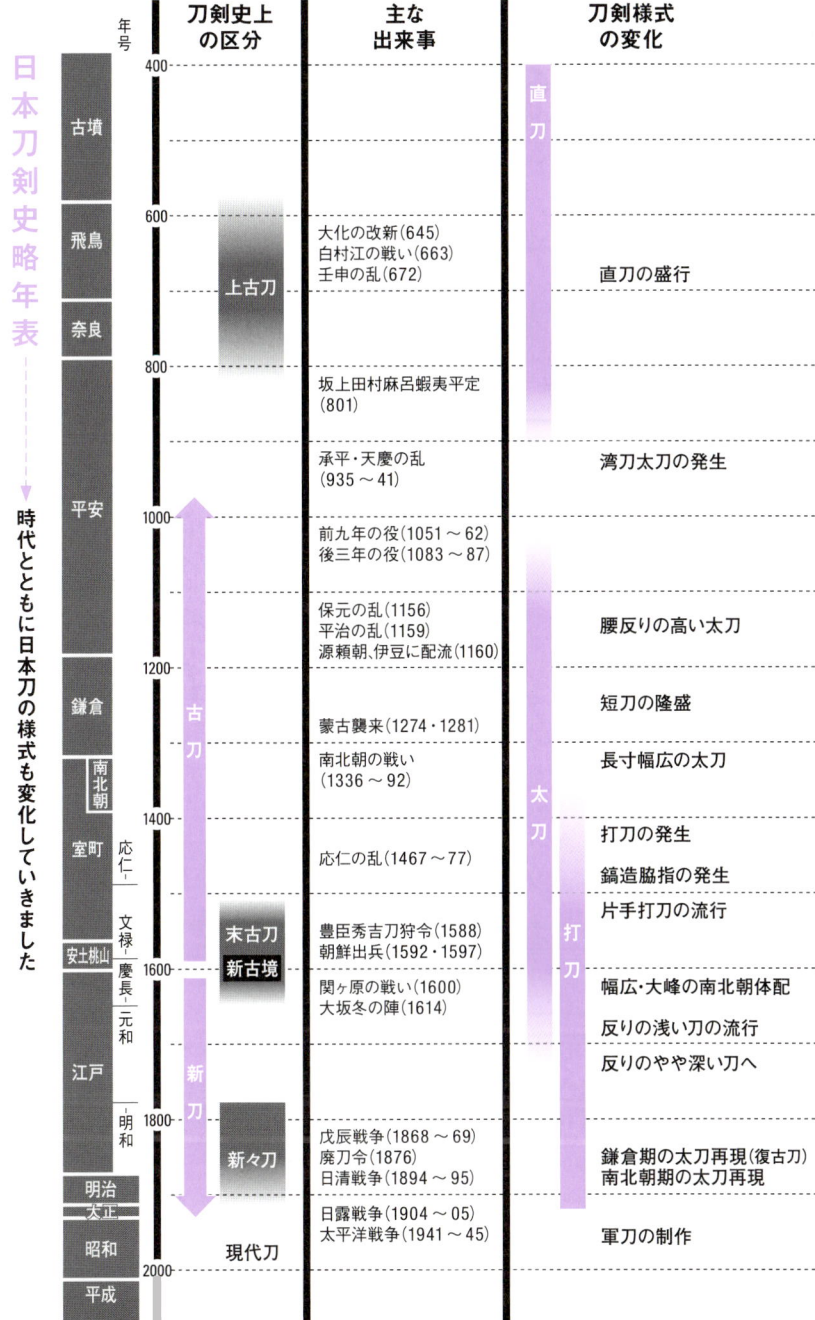

日本刀の種類

日本刀は、
形や大きさなどの違いから、
大きく８種類に
分けられます。

直刀

ちょくとう

直刀は反りがほとんどなく真っすぐか、わずかに内反りになった刀で、古墳時代から奈良時代にかけて製作されました。刀身に鎬筋《しのぎすじ》を立てない平造《ひらづくり》や、鎬が刃方に寄っている切《きり》刃《は》造《づくり》となっています。直刀と同様なつくりの刀は現代も見られます。

右手で直刀の柄を握った抜刀スタイルの埴輪。

「武人埴輪」（高塚古墳）より作図

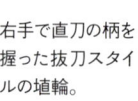

太刀

たち

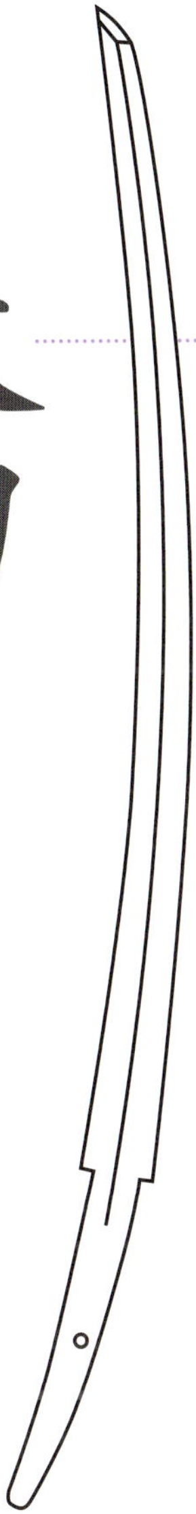

美術館・博物館などで、刃を下にして飾ってあるのが太刀です。平安時代後期（12世紀）から室町時代初期（14世紀）まで、刃を下にして腰に吊して用いました。反りが高く、刃長は2尺3寸～6寸（70～80cm）くらいです。慶長年間（1596～1614年）以降に製作された新刀や、幕末の新々刀にも太刀のように製作されたものがあります。

刀

かたな

太刀に代わって室町時代中期（15世紀後半）から江戸時代末期（19世紀中頃）まで使用され、刃長は2尺（60.6 cm）以上ありますが、太刀よりはやや短いものです。太刀とは逆に刃を上にして、腰に差します。もとは太刀であっても磨《す》り上げて短くなると刀と呼び、同様に刃を上にして腰に差します。

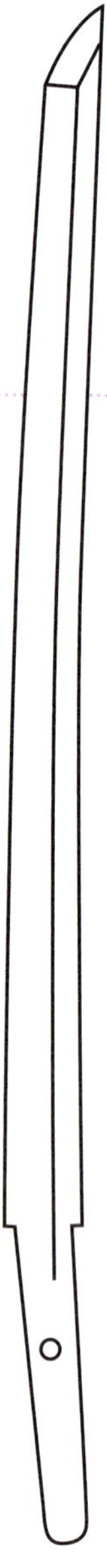

打刀《うちがたな》ともいう。

脇指《わきざし》

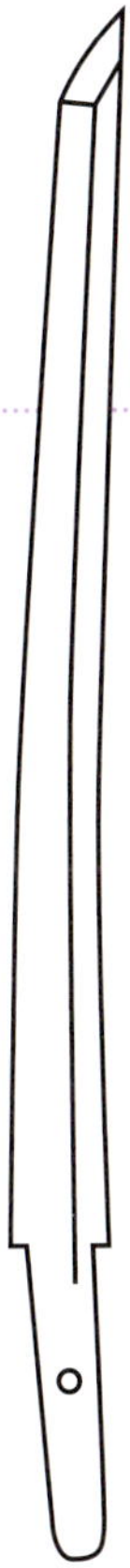

1尺（30.3cm）以上、2尺未満のもので、刀と同じく腰に差します。小脇指と呼ばれる1尺2～3寸（36cm～40cm）のものもあります。桃山・江戸時代には「大小」といって刀の予備として添えて持ち、揃えて一組として用いられました。

短刀

たんとう

長さが1尺(30.3 cm)未満のもので、腰刀《こしがたな》とも呼ばれます。一般的には平造です。

刀に因む言葉

懐刀

ふところがたな

刀とは別に常に懐に入れておく護身用の短刀。懐剣《かいけん》ともいう。転じて機密に参与する腹心の部下、の意味になった。

剣

けん・つるぎ

両面に刃がついていて、反りのないものを剣と呼びます。新刀期には横手のあるものも見られます。

薙刀

なぎなた

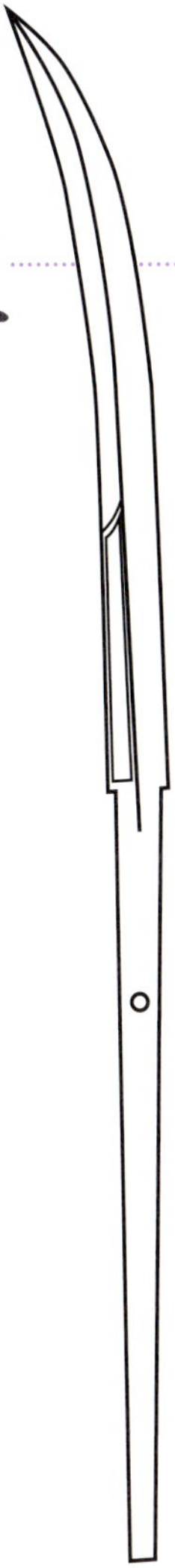

茎《なかご》を長くし、薙ぎ払うために使われたものです。刀身の先端へと反りがつき、なかには穂先にかけて両刃《もろは》となるものもあります。

刀に因む言葉

立ち往生

たちおうじょう

本来は立ったままの姿勢で死ぬこと。現在の進退窮まるという意味になったのは、弁慶が衣川《ころもがわ》の戦いで体に無数の矢を受けながら、薙刀を杖にして仁王《におう》立《だ》ちで死んだという「弁慶の立ち往生」の話から。

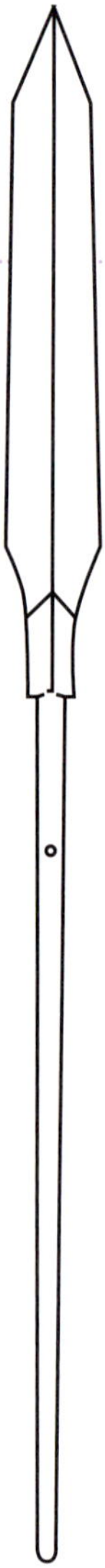

槍

やり

柄《つか》の先端に剣形の穂(身)をはめ込んで使用されたものです。穂の部分の形と柄の長短や大小は、時代や使用方法によって異なります。 先端の形状には、両鎬《りょうしのぎ》、平三角《ひらさんかく》、笹穂《ささほ》、十文字《じゅうもんじ》、片鎌《かたかま》など各種あり、直線的な姿の直槍《ちょくそう》系と、直槍の途中に十字架状に枝刃をつけた十文字槍系に大別されます。

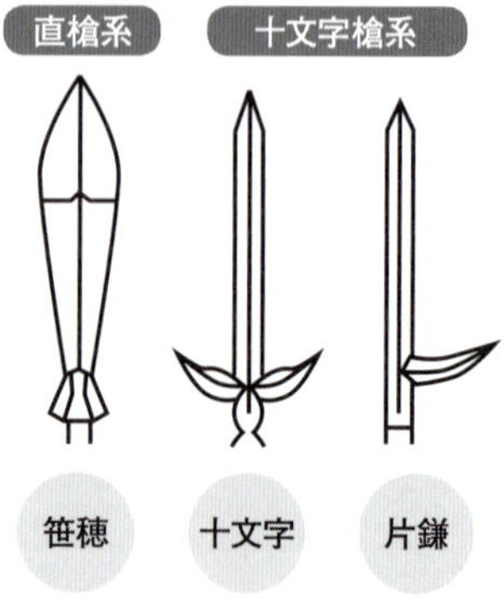

日本刀のつくりを知ろう！

日本刀は時代の変遷とともに、
刀工によりさまざまに技術の工夫が
凝らされてきました。
刀の各部分のつくりや見どころを
取りあげていきます。

造込み

つくりこみ

造込みとは、日本刀の構造を立体的に表したものです。平造《ひらづくり》、切刃造《きりはづくり》、鎬造《しのぎづくり》などがあります。

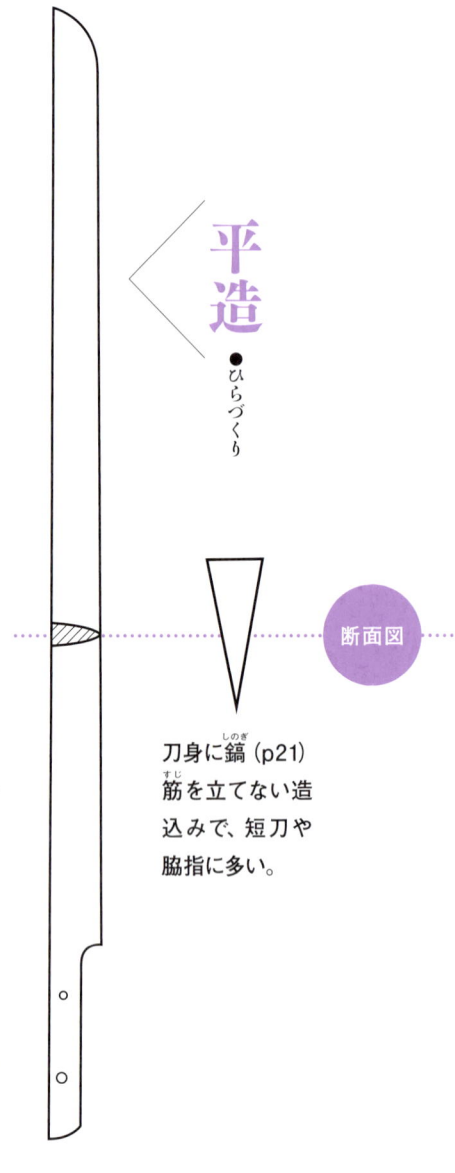

平造

ひらづくり

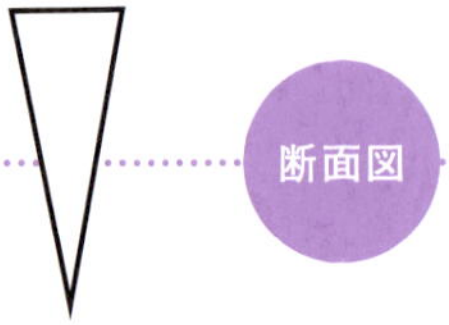

刀身に鎬《しのぎ》（p21）筋《すじ》を立てない造込みで、短刀や脇指に多い。

刀に因む言葉

鎬を削る

しのぎをけずる

刀の鎬の部分がぶつかり、それが削れるくらい激しく斬り合うこと。後に刀以外を用いた激戦にも使うようになった。

切刃造

●きりはづくり

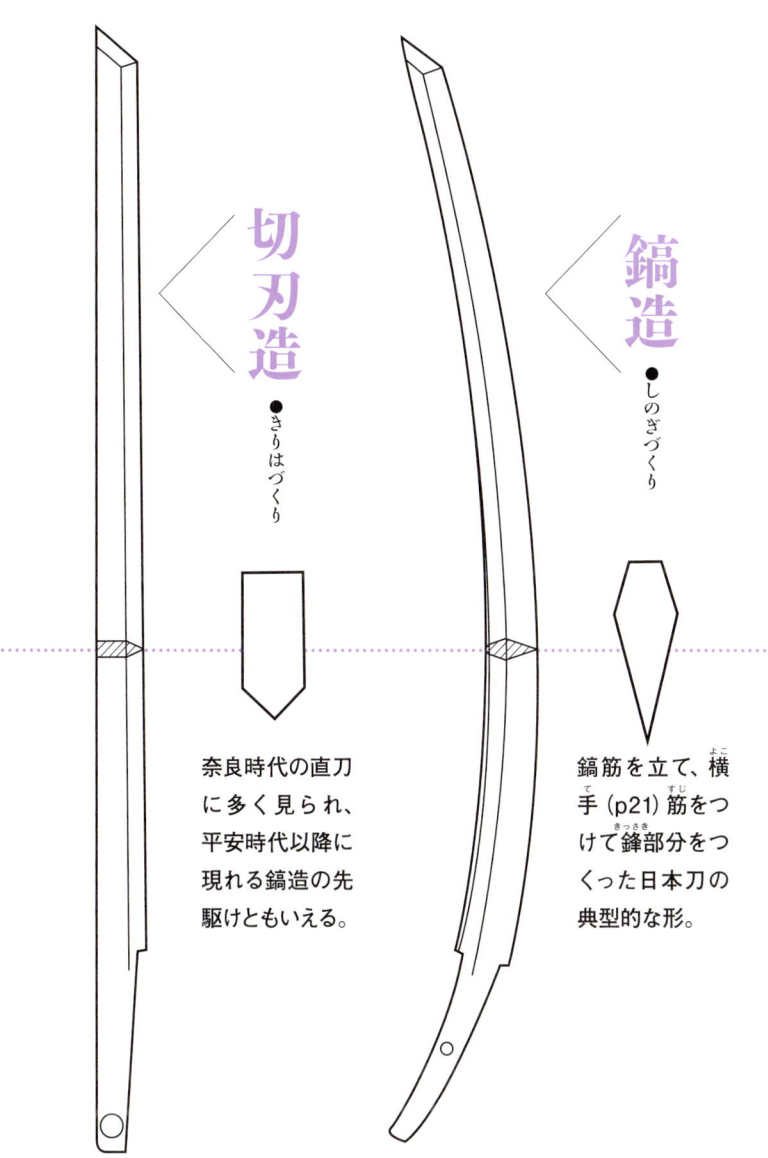

奈良時代の直刀に多く見られ、平安時代以降に現れる鎬造の先駆けともいえる。

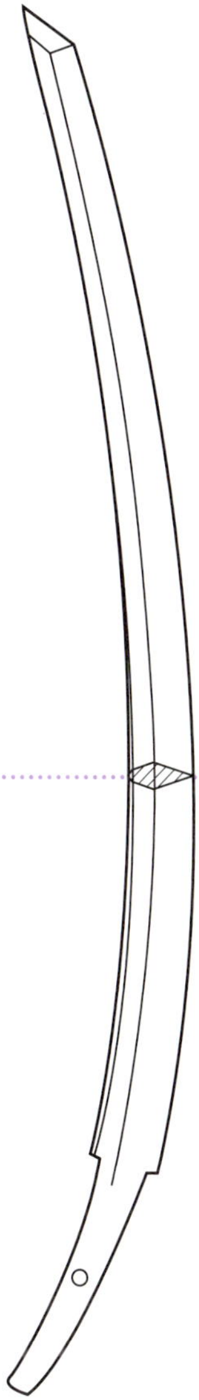

鎬造

●しのぎづくり

鎬筋を立て、横《よこ》手《て》（p21）筋《すじ》をつけて鋒《きっさき》部分をつくった日本刀の典型的な形。

棟・茎・茎尻

●むね・なかご・なかごじり

棟や茎・茎尻も流派や時代によって形状が違うので、鑑賞のポイントとなります。

棟

棟とは刀身の刃とは反対の部分で、その形状によって大きく、庵棟・三ツ棟・丸棟の三種がある。多くは庵棟であるが、流派により三ツ棟や丸棟に仕立てる場合もある。

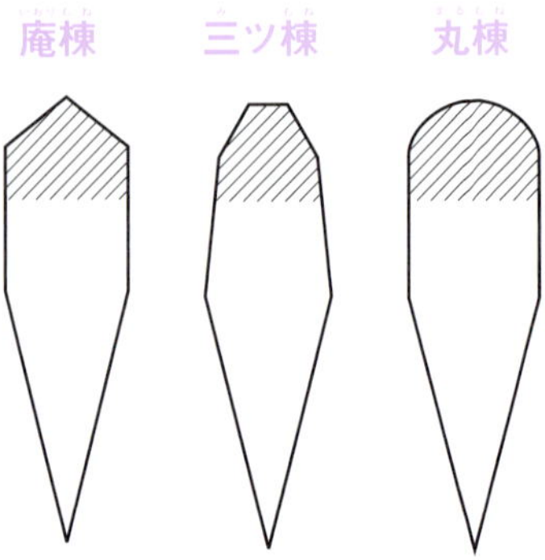

鎬が高い・低い

断面図で表すと、鎬が厚いものを鎬が高いといい、薄いものを鎬が低いという。刀身の説明において用いられる言葉のひとつ。

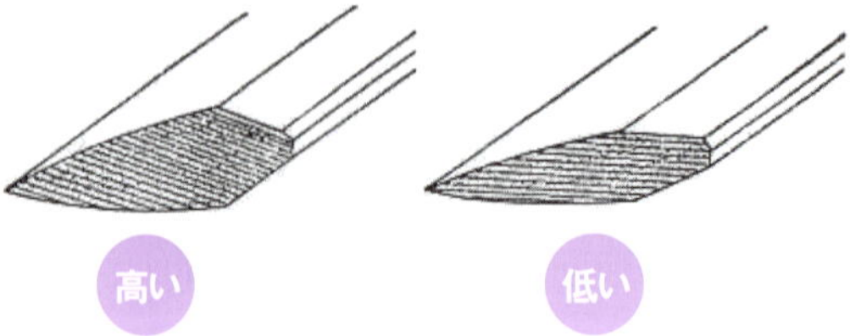

茎

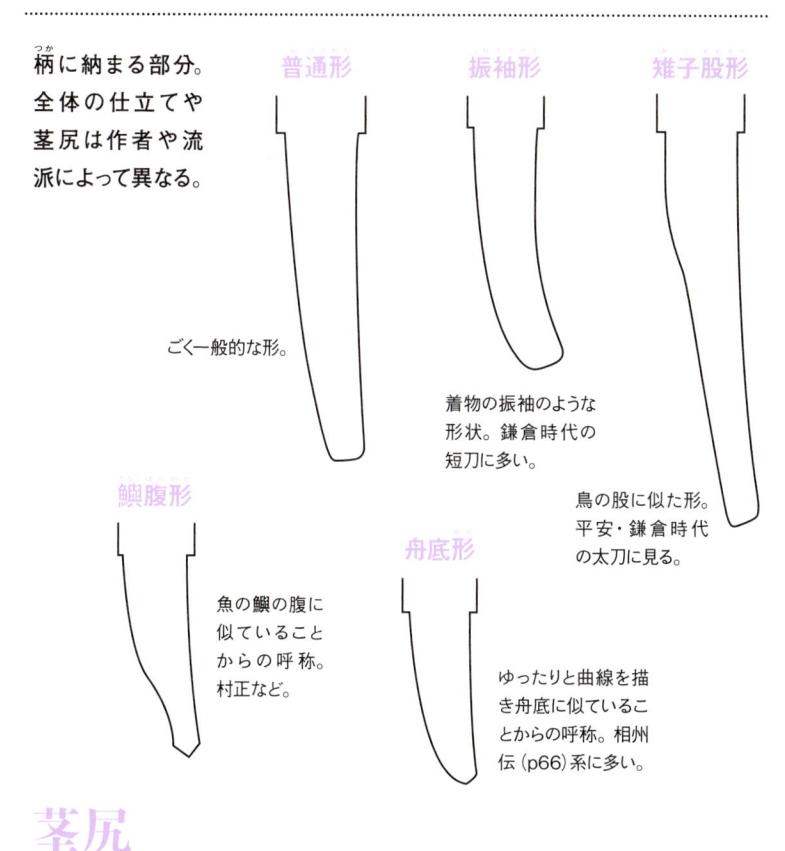

柄《つか》に納まる部分。全体の仕立てや茎尻は作者や流派によって異なる。

普通形

ごく一般的な形。

振袖形

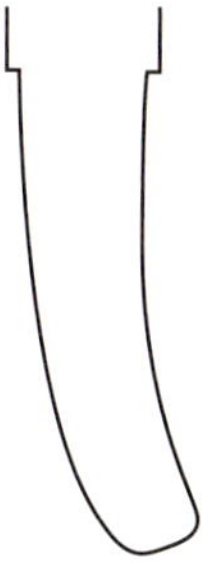

着物の振袖のような形状。鎌倉時代の短刀に多い。

雉子股形

鳥の股に似た形。平安・鎌倉時代の太刀に見る。

鰻腹形

魚の鰻の腹に似ていることからの呼称。村正など。

舟底形《かた》

ゆったりと曲線を描き舟底に似ていることからの呼称。相州伝（p66）系に多い。

茎尻

茎の最も下の部分で、古刀新刀を通じて一般的な栗尻をはじめ、さまざまな形状が見られる。

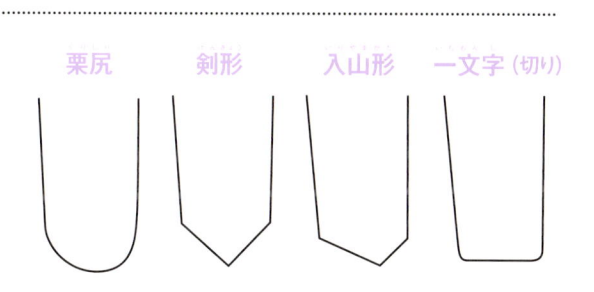

栗尻

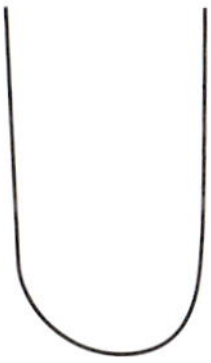

剣形

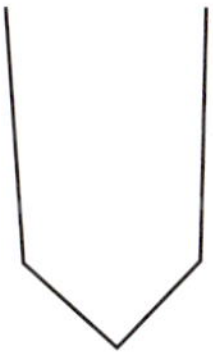

入山形

一文字（切り）

鍛え
きたえ

日本刀は「折れず、曲がらず」という条件を満たすために、炭素量が少なく軟らかい心鉄《しんがね》を、炭素量が多く硬い皮鉄《かわがね》で包んで鍛造します。皮鉄は8～15回ぐらい折り返して鍛錬されます。鍛えとは鍛錬することによって地鉄《じがね》に現れた肌目《はだめ》の模様です。樹木の木目と同じ形が見られます。

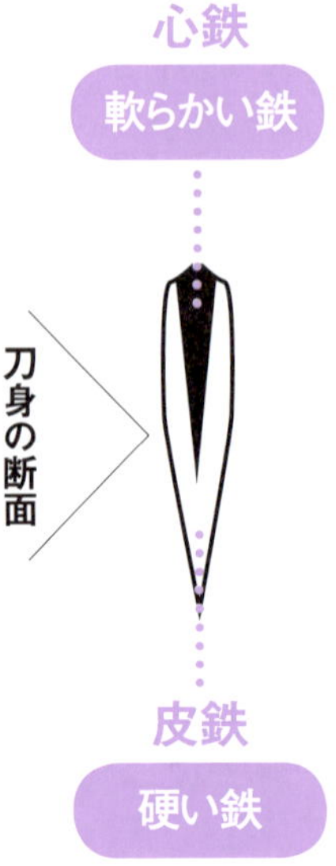

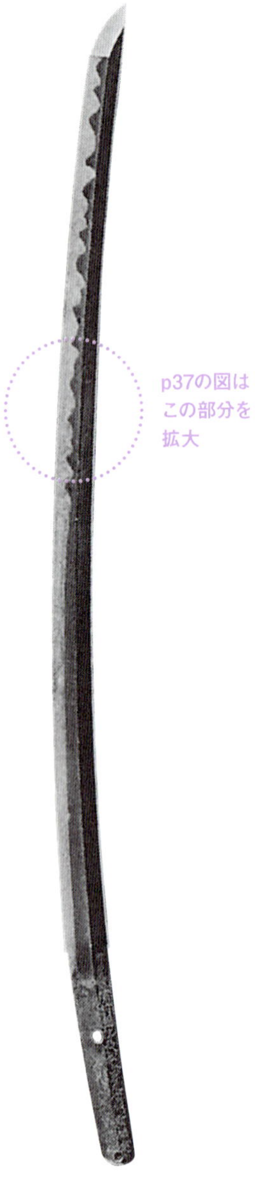

「鍛え」の主な種類

板目肌《いためはだ》

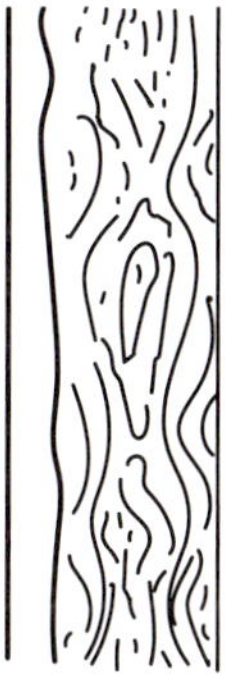

一番多く見られる肌目。とくに大きな模様を大《おお》板目《いため》と呼び、「正宗《まさむね》」で有名な相州物（p66）、あるいは伯耆《ほうき》（現在の鳥取・島根）物に見られる。よく詰んだ板目肌や小板目肌は鎌倉時代の山城（p65）刀工に多く、とくに細かくきれいに詰んだものは梨子《なし》地《じ》肌と呼ぶ。

杢目肌《もくめはだ》

多くは板目肌に交じって木の年輪のような杢目が現れる。とくに杢目が目立つものに備中《びっちゅう》（現在の岡山県西部）青《あお》江《え》派があり、織物の縮《ちり》緬《めん》に似ているところから同派の鍛えを縮緬肌ともいう。

柾目肌《まさめはだ》

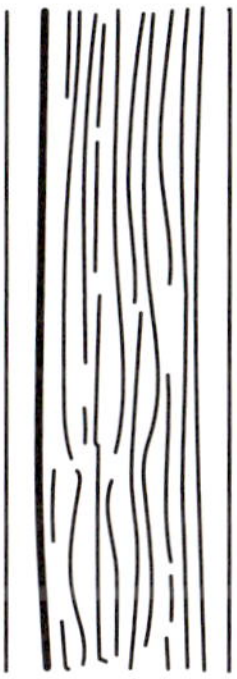

木材の柾目のように直線に近い肌目をいう。平安時代中期以降は、大和物（p65）のとりわけ保昌派及びその流れを汲んだ作に多く見られる。

綾杉肌《あやすぎはだ》

大きく波打って、綾杉模様のようになった肌目。奥州《おうしゅう》（現在の岩手県）月《がっ》山《さん》一派が得意としたので「月山肌」ともいうが、薩摩《さつま》（現在の鹿児島県）の波《なみの》平《ひら》系などにも見られる。

沸と匂

にえとにおい

日本刀の製作過程で焼き入れを行うと、刃の部分と地の部分に硬度の差によって刃文が生じ、刃文と地の境目などに「沸」や「匂」が現れます。

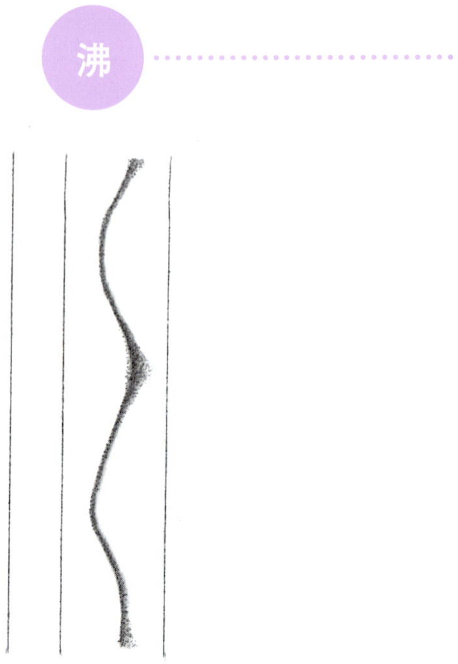

沸は粒子の粗《あら》い部分で、肉眼でとらえることができるが、匂は顕微鏡で見てやっとわかるほど粒子が細かい。夜空に輝く星のようにきらきらと光って見えるものが沸であり、天の川のようにぼうっと霞んで見えるのが匂。

匂

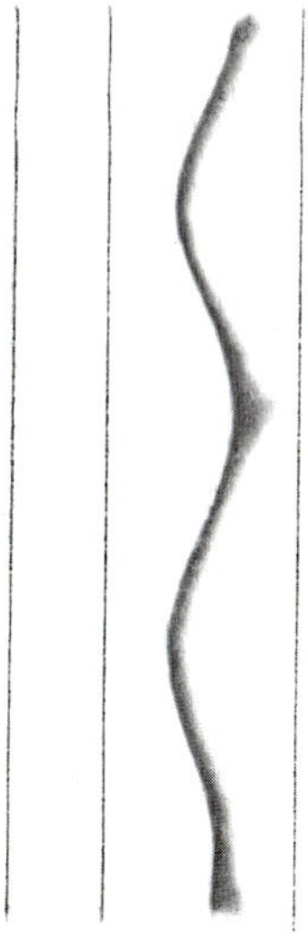

MINI COLUMN

世界的な冶金《やきん》学者の俵国一《たわらくにいち》博士（1872～1958）は、焼き入れによってできる最も硬い組織（マルテンサイト）と、中位に硬い組織（トルースタイト）が混在することから、研磨の結果、沸や匂が浮き上がって見えることを科学的に証明した。

刀に因む言葉

付け焼き刃

つけやきば

元々焼き入れをせず焼き刃が無いか、または無くなってしまった刀に、焼き刃の模様だけを付け足したものは切れ味が悪く、使いものにならないことから、間に合わせの知識や技術のことをいうようになった。

刃中の働き《はちゅうのはたらき》

働きとは、地鉄や刃中に現れた景色のことをいいます。

「地《じ》刃《は》」の働き

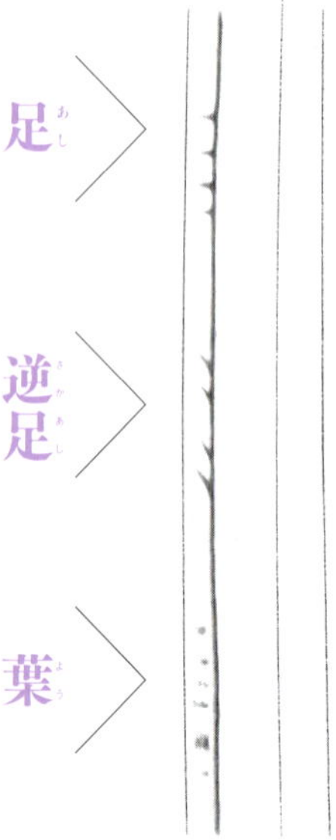

焼き刃の働きはその形状によって、足《あし》・逆足《さかあし》・葉《よう》・砂流《すなが》し・金筋《きんすじ》・打《うち》のけなどと表現する。沸は刃の部分だけでなく地鉄にも付き、これを地沸《じにえ》という。

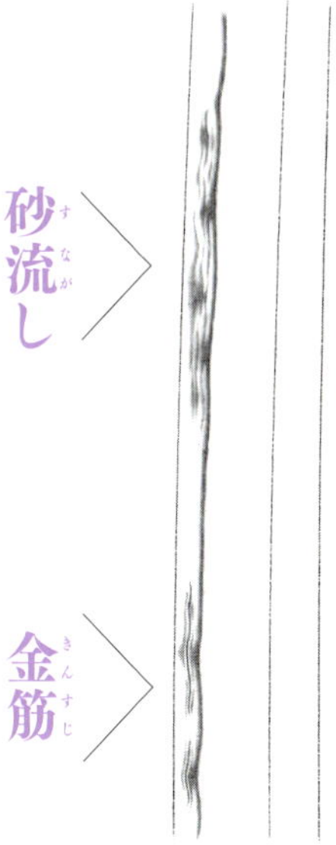

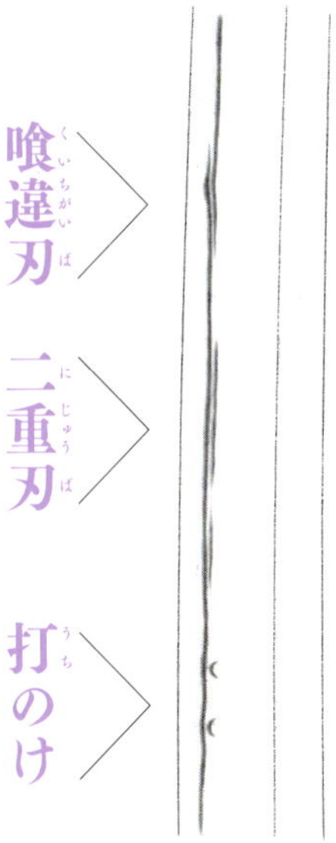

刃中の沸の多い作風を沸出来《にえでき》といい、相州(p66)の正宗は、沸の妙味を最大限に表し、金筋や砂流しが働いた作風を完成させた。匂《におい》出来《でき》の作風は、鎌倉時代中期以後の備前物《びぜんもの》や南北朝時代の備中青江《びっちゅうあおえ》派などに代表され、刃中には足や葉がよく働き見どころのひとつである。また柾目の地鉄を見せる大和物には喰違刃、二重刃、打のけなど縦に働く景色が多い。

刃文

はもん

刃文とは、焼き入れの技術によって生ずる模様のことです。荒仕上げした刀身に焼刃土《やきばつち》を刃の部分には薄く、地の部分に厚く塗りますが（p78）、塗り方で直線的な直刃《すぐは》になったり、乱刃《みだれば》になったりと、刃文の形が決まります。刃文の美しさも日本刀の美のひとつです。

「刃文」の種類

刃文は、直刃にも幅によって細直刃・中直刃・広直刃などがあり、乱刃には、小乱《こみだれ》、丁子《ちょうじ》、互《ぐ》の目、湾《のた》れ、濤瀾《とうらん》、皆焼《ひたつら》など、さまざまなものがある。

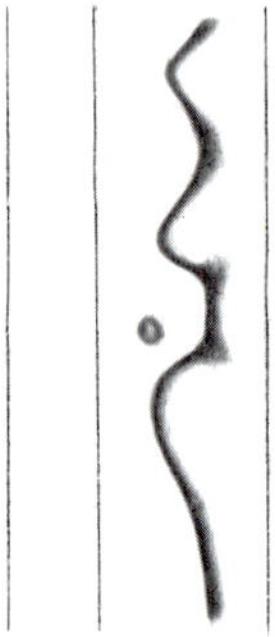

濤瀾《とうらん》

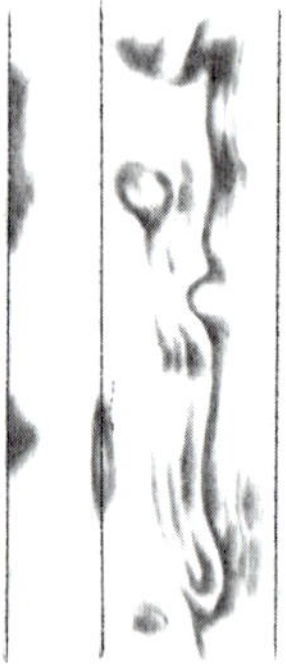

皆焼《ひたつら》

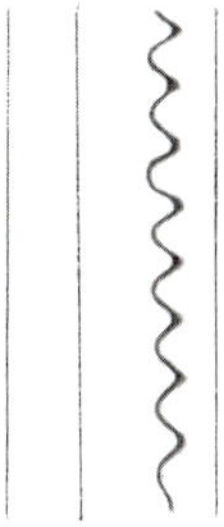

互《ぐ》の目

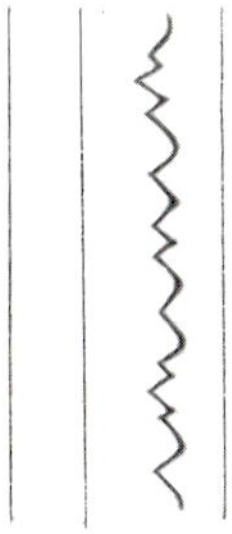

尖《とが》り刃

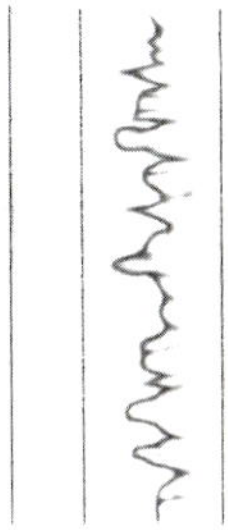

丁子《ちょうじ》

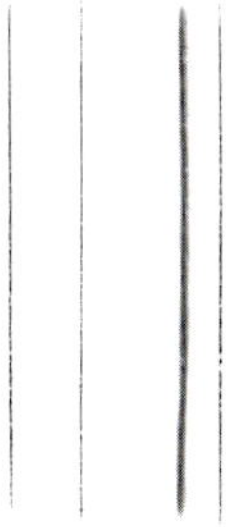

直刃《すぐは》

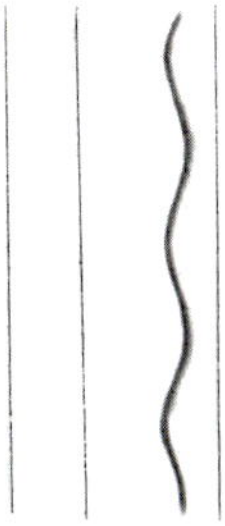

湾《のた》れ

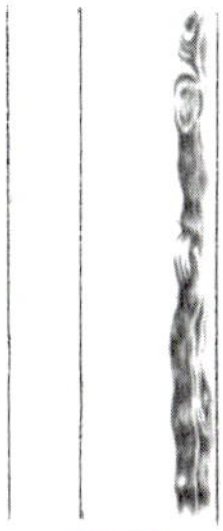

小乱《こみだれ》

帽子《ぼうし》

刀身の先端部分を鋒《きっさき》（切先）といいます。そこに焼かれた刃文を帽子といい、鋒の大小の形と帽子は個々の刀工や各時代の特色をよく表し、大事な見どころのひとつとなっています。

「帽子」の種類

帽子の形や状態には、大丸《おおまる》、小丸《こまる》、乱れ込み、焼詰《やきづ》め、一枚《いちまい》など種々の名称がある。

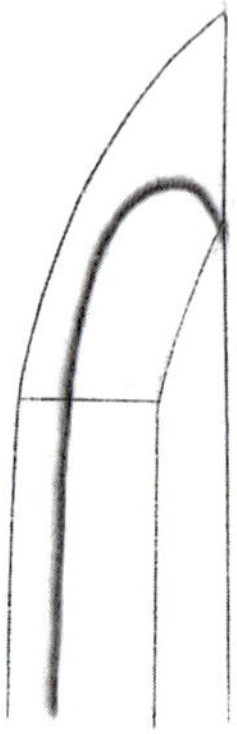

大丸《おおまる》

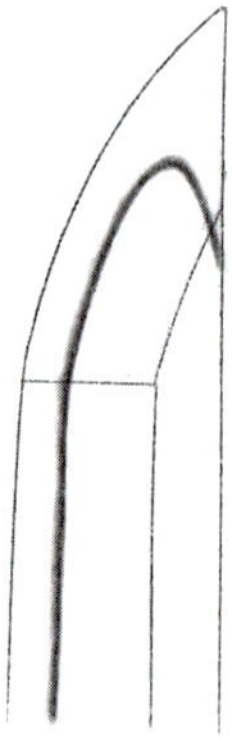

小丸《こまる》

一枚《いちまい》

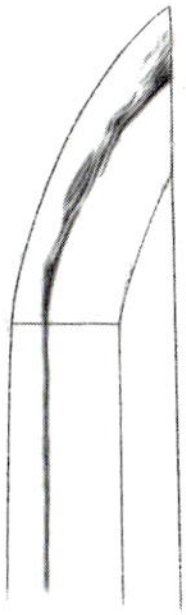

焼詰《やきづ》め
(掃きかける)

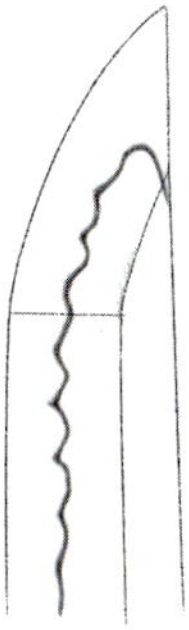

乱れ込み

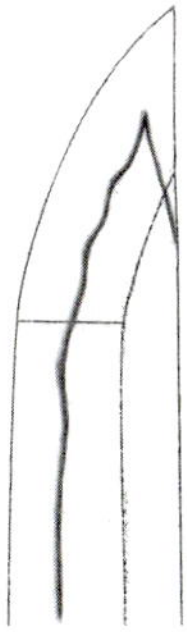

先尖《さきとが》る

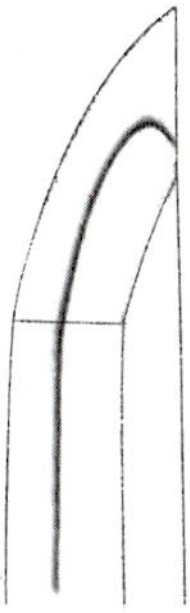

返り浅い

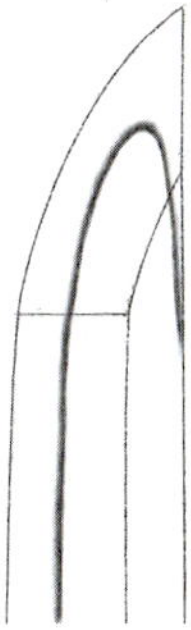

返り深い

茎の鑢目《なかごのやすりめ》

もともとは刀身が柄から安易に抜けないために掛けたものと思われます。鑢目の形式にも色々あり、それによって刀工や流派の特性を知ることができます。

「鑢目」の種類

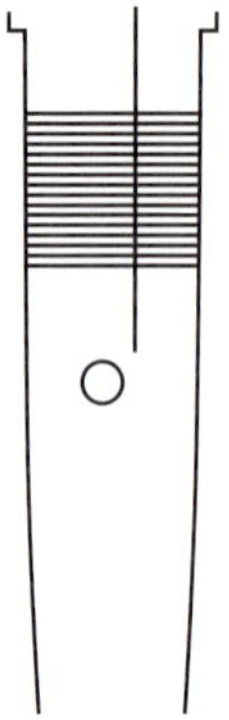

切《きり》（横《よこ》ともいう）

真一文字の、最も一般的なもの。

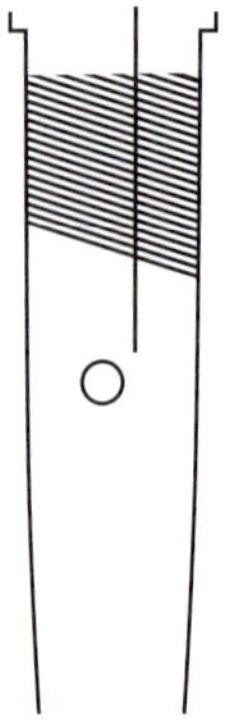

勝手《かって》下り

勝手は右手のことで、右下りの鑢をいい、切鑢に次いで多い。

刀に因む言葉

相鎚を打つ《あいづちをうつ》

刀工が鉄を鍛えるとき、交互に鎚を打ち合わすことから、相手に同意したり、話に調子を合わせたりすることをいう。

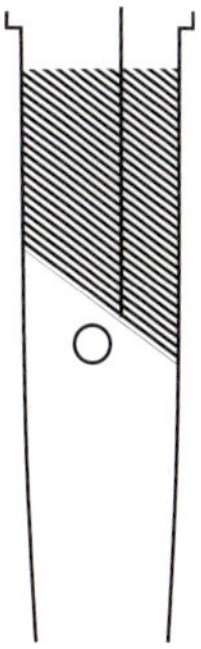

筋違《すじかい》

勝手下りより角度の急なもの。左下りは逆筋違《さかすじかい》という。

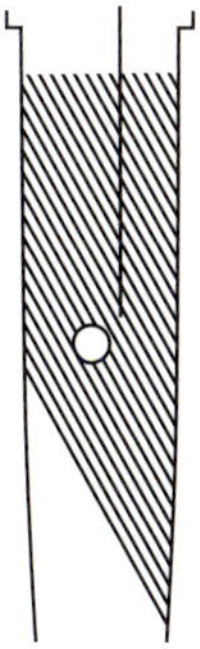

大筋違《おおすじかい》

筋違より傾斜が急なもの。古刀では青江一門、左一門の特色である。

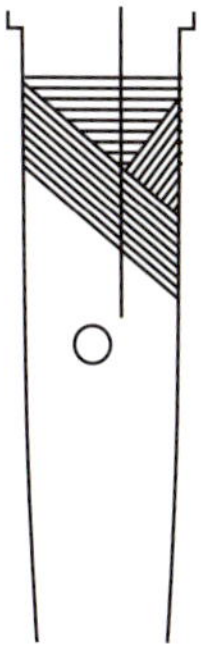

化粧鑢《けしょうやすり》

江戸時代以降の新刀で、各刀工が意匠をこらした鑢目。

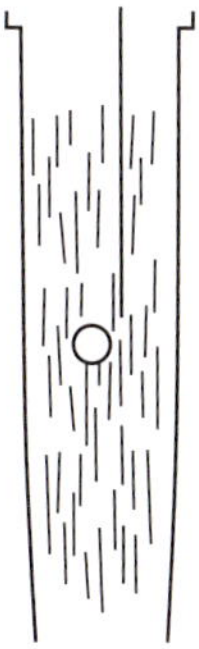

鏟鋤《せんすき》

鏟《せん》という鉋《かんな》で整えたもので、上古刀や薙刀《なぎなた》に多い。

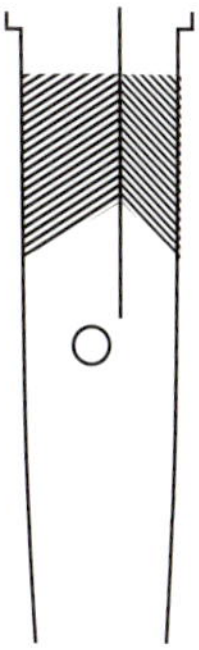

鷹羽《たかのは》

鷹の羽に似ているところから。羊歯《しだ》ともいう。

檜垣《ひがき》

複数の線が斜めに交叉している。大和、美濃、薩摩の波平一門等。

刀身彫刻《とうしんちょうこく》

刀身に彫刻を施すことは、すでに平安時代から行われていました。実用からのもの、信仰によるもの、装飾的なものがあり、時代の流行や系統によって特色が見られます。

不動明王

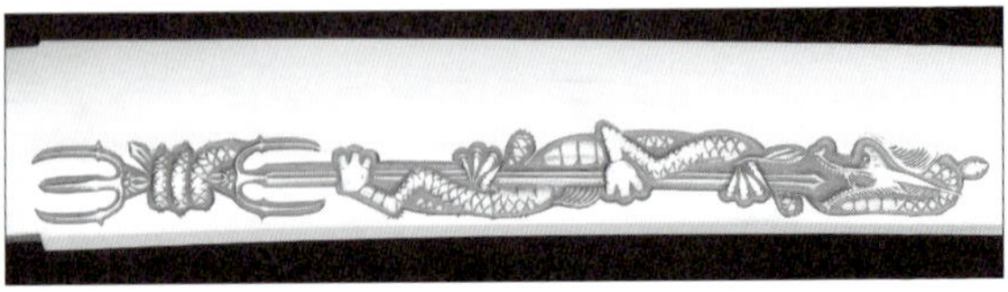

倶利迦羅

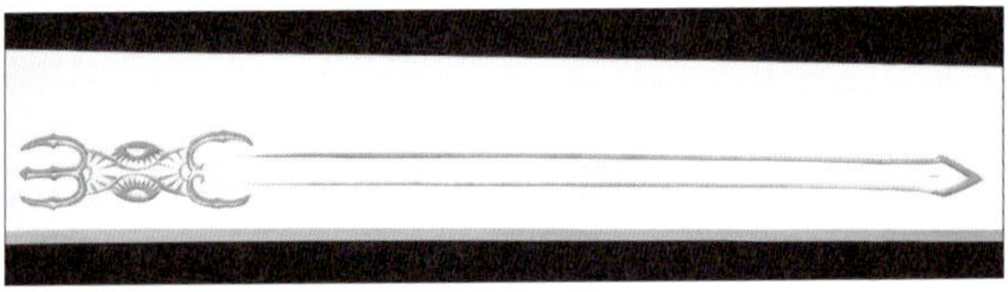

三鈷付剣

古刀では信仰を示す彫刻が多く、梵字《ぼんじ》、素剣《すけん》、不動明王《ふどうみょうおう》、倶利迦羅《くりから》、三鈷付剣《さんこつきけん》、護摩箸《ごまばし》や、八幡大菩薩《はちまんだいぼさつ》、南無妙法蓮華《なむみょうほうれんげ》経《きょう》、三十番神《さんじゅうばんしん》などの名号がある。
新刀になると装飾性が強くなり、鶴亀《つるかめ》、上下龍、松竹梅、大黒、なども彫られている。

日本刀は時代とともに変化する！

日本刀は刀剣が大陸よりもたらされて以来、
数々の戦闘を経て
日本独自の形が創られ、
その時代ごとに適応した姿を現していきました。
日本刀の各時代の特徴を見てみましょう。

時代による日本刀の姿

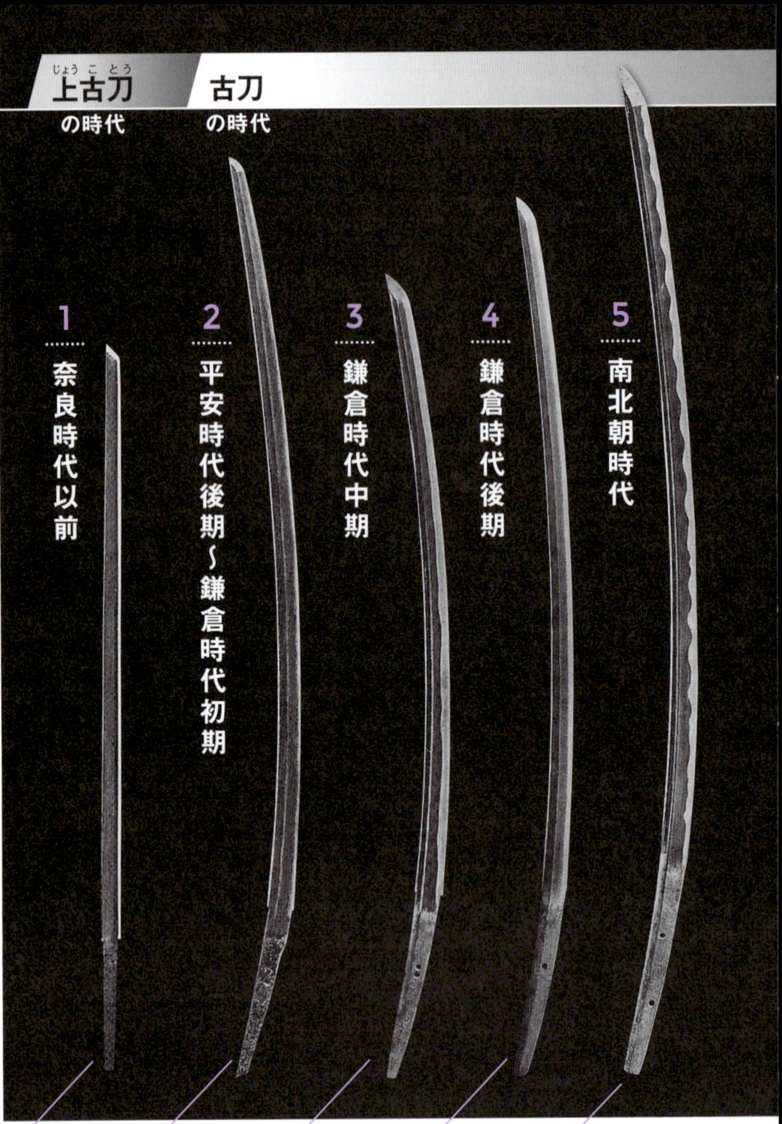

反りのない直刀で、ほんどが平造と切刃造。

反りがつき、鎬造のものが現れる。反りは腰反りが強い。

武士全盛の時代に合わせた頑健な太刀姿となる。

鋒が延び、先にも反りが加わっていき、踏張りが目立たなくなる。

幅広・大鋒の長大な太刀がつくられ、物々しい野太刀も見られる。

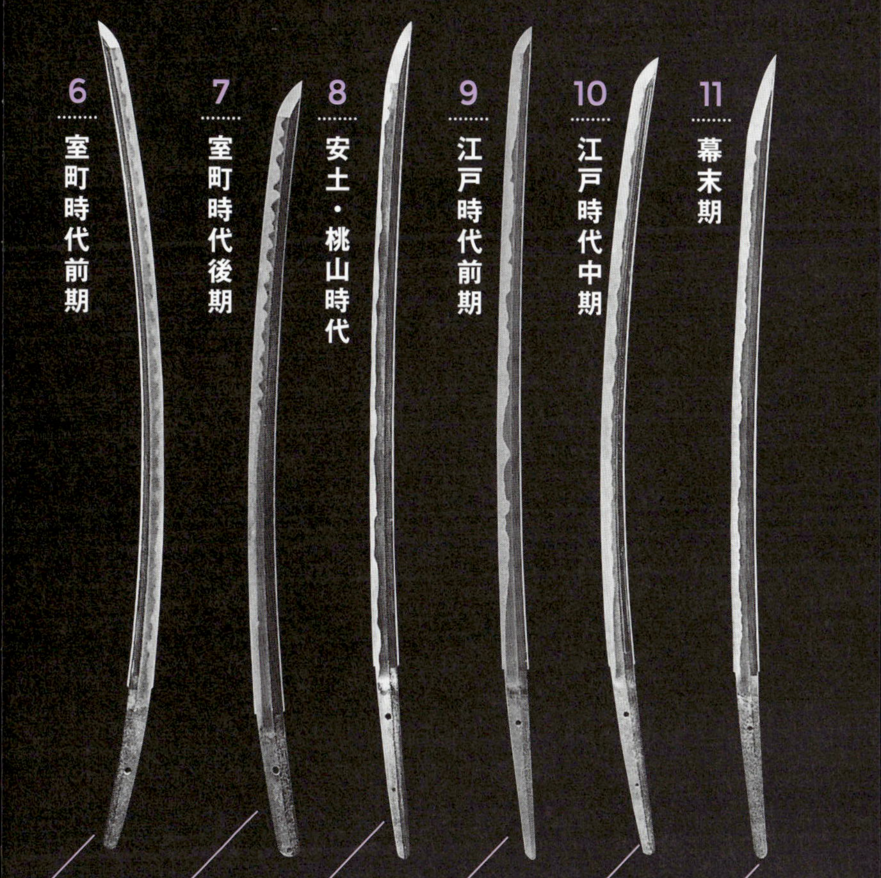

鎌倉時代にならった形式だが、先反りが加わる。

戦闘様式が徒歩の集団戦に移り、打刀が多くなる。

南北朝時代の太刀を大磨上にした体配(姿)によく似る。

反りが目立って浅く、元と先の幅に差がある。寛文新刀と呼ばれた。

寛文新刀より、反りがやや深くなっている。

鎌倉期や南北朝期の太刀を再現した姿形が多い。

上古刀の時代

1

奈良時代以前

上古刀《じょうことう》は反りのない直刀《ちょくとう》で、平造《ひらづくり》と切刃造《きりはづくり》がほとんどです。日本刀が直刀から湾《わん》刀《とう》へ移行したのは平安時代中期以降と考えられ、一般的に10世紀前半の平将門と藤原純友の乱（承平・天慶の乱）以降とされています。それ以前のものは上古刀と呼ばれ、大陸より日本にもたらされた大陸様式の直刀です。この時代の刀剣の資料としては、古墳から発掘されるものと、奈良時代の正倉院宝物の刀剣類があります。

黒漆塗の鞘に
おさめた直刀を腰に
佩いている。

「聖徳太子画像」
（宮内庁蔵）をもとに作図

2

平安時代後期～鎌倉時代初期

平安時代後期から、いま私たちが普通に見る太刀、すなわち反りのある鎬造《しのぎづくり》のものが現れました。

太刀は総じて細身で、元幅に比べて先幅が著しく狭くなり、先端部の鋒《きっさき》が小さくなります。また、踏張《ふんば》り※が強くつき、茎《なかご》から腰元のあたりで強く反ります。これを、腰反りと呼びます。そして中程から先にいくと、棟《むね》から押さえられたような感じで反りが伏すものがまま見られます。これを「うつむく」といいます。刃長は2尺5、6寸（75.8 ～ 78.8cm）位のものが多くなります。

※区元《まちもと》が、少し末広がりになること

古刀の時代

3

鎌倉時代中期

武士全盛の鎌倉時代中期には、重ねが厚く、平肉《ひらにく》も豊かで、前時代に比べて身幅《みはば》も広く、いかにも頑健な太刀姿となります。元と先の身幅の差が少なく（先にいっても細くならず）、反りは腰反りですが、中程から先にもある程度反りが加わり、全体で反る感じがあります。鋒《きっさき》は中鋒《ちゅうきっさき》、または中鋒が詰まって猪首風《いくびふう》となります。

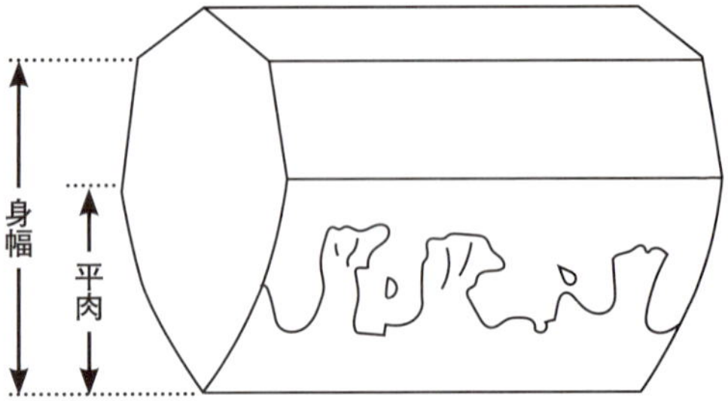

重ねが厚く平肉が豊か

4

鎌倉時代後期

　鎌倉時代後期の太刀は、前時代に比べて平肉はやや薄く、踏張りが目立たなくなります。豪壮なものでも猪首鋒とはならず、中鋒、あるいは中鋒が少し延びた姿です。また、やや細身で、平安時代末期か、鎌倉時代初期のものと見紛う姿形もありますが、先にいっても伏しごころはなく、逆に反りが加わっています。

刀に因む言葉

太刀打ち《たちうち》

太刀で打ち合って戦うことから転じて、まともに張り合って競争することの意に。

古刀の時代

5

南北朝時代

南北朝時代には身幅が広く大鋒《おおきっさき》で、刃長も3尺（90.9cm）に余る長大な太刀が作られ、短刀も大振りな姿態のものとなってきます。

なかには背負い太刀・野太刀《のだち》と呼ばれる物々しい大太刀もありますが、いずれも重さを軽減すべく重ねを薄く造り込んでいます。また棒樋《ぼうひ》を掻《か》いたもの（刀身に沿ってみぞを彫ったもの）が多くなっています。

この時代の太刀は、後の時代（主に天正や慶長年間）に大磨上《おおすりあげ》（茎から短く詰めること）となって、無銘の打刀《うちがたな》に仕立てかえられたものが多くあります。

大太刀を肩に担ぎ、腰には虎皮の鞘を付けた太刀を佩《は》く。

「騎馬武者像」（京都国立博物館蔵）をもとに作図

6

室町時代前期

室町時代前期の太刀は、鎌倉期の様式にならった作風を示しています。前時代の大鋒で、長大なものは姿を消し、刃長は2尺4、5寸となります。身幅はやや狭く、踏張りがあって反りが高く、中鋒となり、一見鎌倉時代のものと見紛いますが、重ね（刀身の厚さ）が厚く、わずかに先反りがつくのが特色です。

刀に因む言葉

単刀直入《たんとうちょくにゅう》

一本の刀（単刀）を持ち、ただ一人で敵陣に切り込むことから、前置きなしでいきなり本題に入り、要点をつくことをいう。

古刀の時代

7

室町時代後期

室町時代後期になると、戦闘様式は馬上戦がすたれ徒歩を主とした集団戦に移り、刃を上にして腰帯に差す打刀が多くなります。応仁・文明の乱以後、各地に戦乱が起こり、数打物《かずうちもの》（量産品）が出まわりました。とくに注文によって念入りに鍛えたものを注文打《ちゅうもんうち》と呼んで区別しています。備前（p65）と美濃（p66）が二大生産地です。

先反りが強くつくことが特徴で、永正・天文頃は片手打ち（片手で扱えるように刃長をやや短めにした刀）が作られ、茎も短くなっています。永禄・天正以降は両手打ちとなり、身幅も広く、中鋒も延びてきます。

8 安土・桃山時代

刀剣史上、慶長（1596～1614）時代以前のものを古刀と呼び、以後のものを新刀と呼びます。安土・桃山時代になると刀工は京、江戸をはじめ、新勢力の諸大名の城下町を中心として集まり、また交通の発達は鉄資材の交流を促し、外国製の鉄すなわち南蛮鉄も使用されるようになりました。

刀の姿は南北朝時代の太刀を大磨上（p56）にした体配（茎以外の刀身の姿）に非常によく似ています。広い身幅で、元幅と先幅に開きが少なく、中鋒が延びるものや大鋒もありますが、重ねは比して厚くなります。

この時期の風俗画には、派手な着物を着て、腰に長刀を差した姿が見える。

「風俗図（住吉浜遊楽）」（円満院宸殿蔵）より作図

新刀の時代

9

江戸時代前期

江戸時代前期に見る日本刀の姿形は頃合いの身幅で、元幅に比べて先身幅が狭まり、反りが目立って浅く、鋒も小さくなり、中鋒が詰まり気味の形状です。刃長は2尺3寸(69.7cm)前後のものが多くなっています。この独特の体配はとくに寛文・延宝年間を中心とした頃に多く作られていることから、これを寛文新刀と呼んでいます。

「宮本武蔵像」(刀剣博物館蔵)より作図

10

江戸時代中期

貞享・元禄を中心とした江戸時代中期は、天下泰平の世情を反映し、刀工が減少した時期です。姿は寛文新刀から新々刀《しんしんとう》へ移行する過渡期のもので、寛文新刀よりは、鋒が延びごころとなり、反りがやや深くなっています。

MINI COLUMN

新刀期の茎にみる紋所

この時期、武道を奨励した八代将軍徳川吉宗は、薩摩の刀工、正清《まさきよ》や安代《やすよ》らを江戸にて鍛刀させ、一葉葵紋《いちようあおいもん》を茎に彫ることを認めた。刀工にとっては勲章ともいえるものであり、時代を遡れば、越前の康継《やすつぐ》が家康より「康」の字と葵の御紋を賜っており、大坂の真改《しんかい》は、朝廷より十六葉菊紋を戴き、各々銘文とともに茎に刻んでいる。

新々刀の時代

11

幕末期

明和以後のものを新々刀と呼んでいます。この時期は、鎌倉時代や南北朝時代の太刀姿を再現した造込みが多く作られました。ともに重ねは厚く平肉がつかないのが特徴で、鎌倉時代にならった姿は身幅は頃合いか、やや細めで、中鋒、反りが高くなります。一方身幅が広く、中鋒が延び、あるいは大鋒で浅く反りがついた南北朝時代の大磨上（p56）に似た姿もあります。

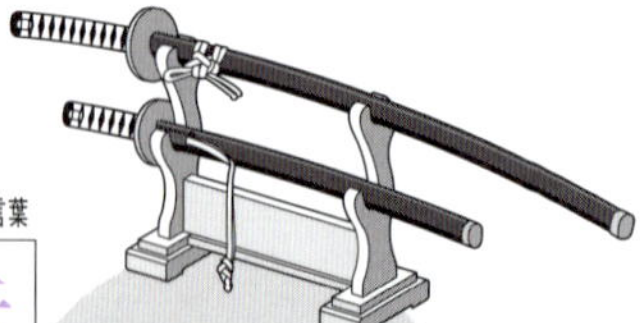

刀に因む言葉

伝家の宝刀《でんかのほうとう》

家宝として伝わる名刀のことから、普段は使わないがいよいよというときに持ち出す切り札のことをいう。

12

明治時代以降

明治9年の廃刀令から現在までの日本刀を現代刀と呼んでいます。廃刀令が出ると刀工は職を失いましたが、明治39(1906)年に至って月山貞一、宮本包則が帝室技芸員に任命され、鍛刀の技術は保護されました。明治・大正・昭和・平成と、鍛刀技法は今日まで継承されています。

現代刀においては、古刀・新刀を問わず、あらゆる時代の著名刀工の作風を理想としており、とくに鎌倉時代の太刀に範をとったものが多く見られます。

五箇伝《ごかでん》

日本刀の伝統的な伝法

古刀期において、作刀地の隆盛には、荘園や社寺、
幕府との関係や豊富な原料調達などが
大きく関わっていました。
大和《やまと》、山城《やましろ》、備前《びぜん》、相州《そうしゅう》、美濃《みの》の五つの国は
その特性とともに栄え、
各々の作風が伝法となり、新刀・新々刀期、
そして現在まで永く継承されています。
これを五箇伝と呼びます。

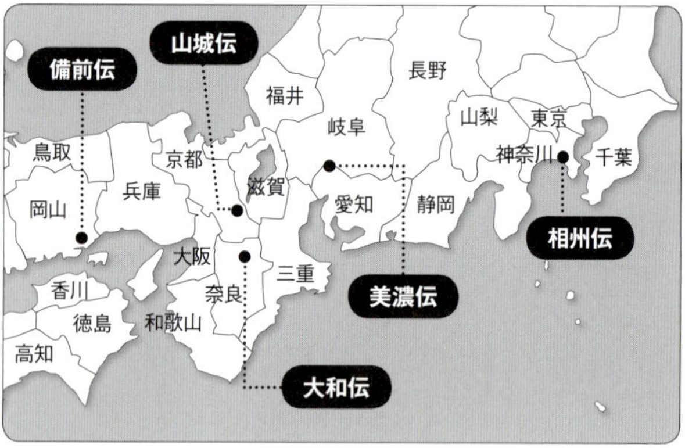

五箇伝の位置

新刀・新々刀の作刀地は政治や物流の要、江戸と大坂を中心に発展することとなるが、作家たちは各伝法の古作を写して学びつつ、自らの作意を込めて独自の作風を追究し製作していった。その姿勢は現代作家も同様である。

五箇伝の見どころ

◉大和伝《やまとでん》

・源流は五派のうちで最も古いと思われるが、銘が入った作が認められるのは鎌倉時代初期からである。

・千手院《せんじゅいん》・手掻《てがい》・当麻《たいま》・尻懸《しっかけ》・保昌《ほうしょう》の五流が有名。

・鎬《しのぎ》を高くし、地鉄《じがね》には柾目肌が見られる。

・刃文は沸出来の直刃《すぐは》仕立てが多い。ゆえに砂流《すなが》し・二重刃・喰違刃《くいちがいば》など、縦の働きがよく見られる。

・社寺との繋がりが強く、作風は質朴としている。

◉山城伝《やましろでん》

・平安時代後期から鎌倉時代末期にかけて全盛を誇る。

・三条・五条・粟田口《あわたぐち》・来《らい》などの各派が代表。

・小板目が詰んだ潤いのある精美な地鉄。

・刃文は直刃調に小乱や丁子を交え、小沸が麗しく地刃ともに冴える。

・土地柄を示すような優雅な作品が多い。

◉備前伝《びぜんでん》

・平安時代末期から現代まで刀工・作刀数では群を抜く、まさに刀剣王国。

・近隣の良質な砂鉄や松炭に恵まれ、古刀期には長船《おさふね》を中心に各地でいくつもの流派が腕を競った。

・花弁を幾重にも連ねたような匂出来《においでき》の華麗な丁子乱《ちょうじみだれ》と、地鉄に霞のように現れる映りが特徴。

◉相州伝《そうしゅうでん》

・鎌倉幕府が各地より名工を招聘して隆盛し、正宗《まさむね》の名とともに独特な作風が完成する。

・板目に湾《のた》れや互《ぐ》の目という刃文を焼き、地景《ちけい》・金筋《きんすじ》など地刃の働きと沸の妙味が身上の、覇気ある作風。

・各伝法にも広く影響を及ぼした。

◉美濃伝《みのでん》

・五箇伝中では後発で、南北朝期から室町末期にかけて栄える。

・板目肌に柾目状が交じり、地鉄に白気《しらけ》（淡く白っぽい）ごころが出る。

・刃文は互の目や尖り刃が目立ち、鋭利さがある。

・新刀の作風はこの美濃伝から流れていったものが多く、室町時代に栄えた関は現在でも刃物の町である。

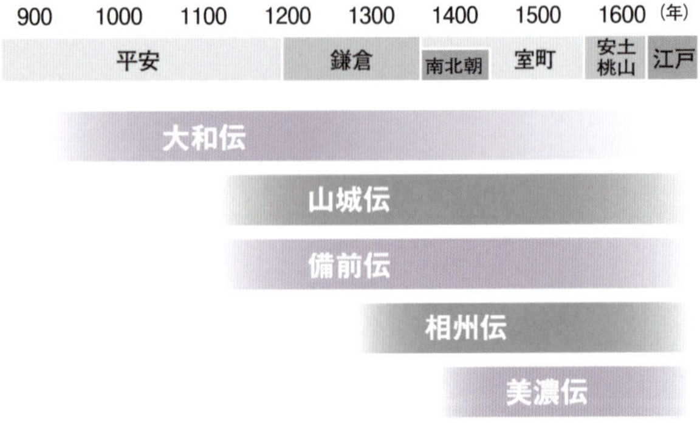

五箇伝の盛衰略年表

刀身を作る！

日本刀はその名のとおり日本固有のもので、
現在では世界に誇る
鉄の芸術品ともいわれています。
しかし基本は武器であり、
作刀ではまずその要件を満たすよう、
製作には工夫と努力が積み重ねられてきました。

日本独自の製鉄技術「たたら」

日本刀の素材は、日本古来の製鉄技術である
「たたら」によって生産される和鉄で、
その品質は他に比類ないほど優れたものです。
明治以降、一般に製造される鉄は
洋式の溶鉱炉で製造される洋鉄のみと
なりましたが、これでは日本刀は
作れません。戦前、
島根県安来で和鉄がほそぼそと
製造されていましたが、
現在では公益財団法人日本美術刀剣保存協会が
島根県奥出雲町に
「日刀保《にっとうほ》たたら」を復活させています。

粘土で築いた炉に、30分ごとに砂鉄と木炭をくべていく。

日本刀の素材

たたらによって生産された広義の鉄は、鉧《けら》という塊《かたまり》です。これを破砕・選鋼して、それぞれ含有炭素量によって3つに分類します。

鋼に分類されるもののうち、とくに破面が均質で良好なものを「玉鋼《たまはがね》」といい、これはそのまま刀剣の素材になります。

銑は炭素量が多いのでこれを取り除き（脱炭）、狭義の鉄は逆に炭素を吸収（吸炭）させて鋼の炭素量と同等に調節して使用します。

	炭素量	特徴
狭義の鉄《てつ》	0.0 ～ 0.03%	加熱せずとも たたけば伸びる
鋼《はがね》	0.03 ～ 1.7%	加熱して、 たたけば伸びる
銑《ずく》	1.7%以上	加熱しても 何をしても伸びない

玉鋼

水へし・小割り

●みずへし・こわり

鋼《はがね》を熱して厚さ5mm程度に打ち延ばし（図1)、次にこれを2～2.5cm四方に小割りして（図2)、そのなかから良質な部分を選び出し、皮鉄《かわがね》用と心鉄《しんがね》用に選別します（図3)。

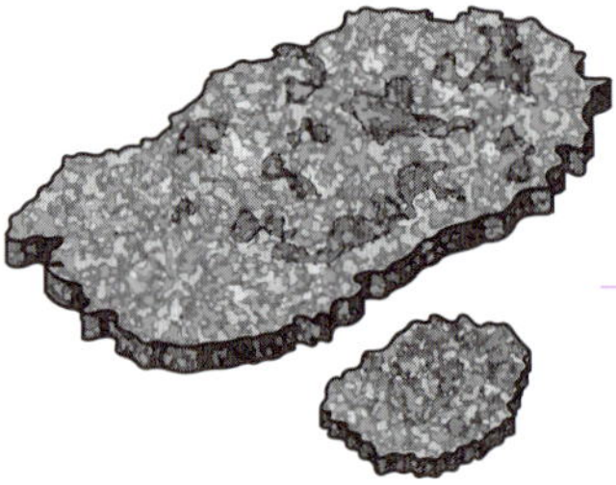

(図1) 薄く平らに打ち延ばす。

(図2) 小割りにする。

(図3) 選別する。

積沸し

つみわかし

小割りにされた素材をテコに積み上げて（図4）、ホド（炉）で熱します。この過程で素材が充分に沸かされ（熱せられ）て、ひとつの塊となります。

心鉄用と皮鉄用を
それぞれ別のテコに
積み重ねる。

（図4）テコに積み上げる。

水へし・
小割り

積沸し

鍛錬・
皮鉄造り

心鉄造り・
組み合わせ

素延べ・
火造り

土置き・
焼き入れ

仕上げ・
銘切り

鍛錬・皮鉄造り

●たんれん・かわがねづくり

炭素の含有量を調整し不純物を除去するために、鍛錬を行います。鍛錬の方法は、充分沸かされた素材を平たく打ち延ばし、さらに折り返して2枚に重ねます（図5）。この作業を約15回程度行いますが、とくにこの工程の前半を下鍛《したぎた》え、後半を上鍛《あげぎた》えといいます。

鍛錬によって、いわゆる皮鉄（軟らかい心鉄《しんがね》をくるむ、硬い鉄のこと）がつくられます（図6）。15回ほどの折り返し鍛錬の結果、約33,000枚の層状となります。日本刀が強靭である理由のひとつがここにあります。

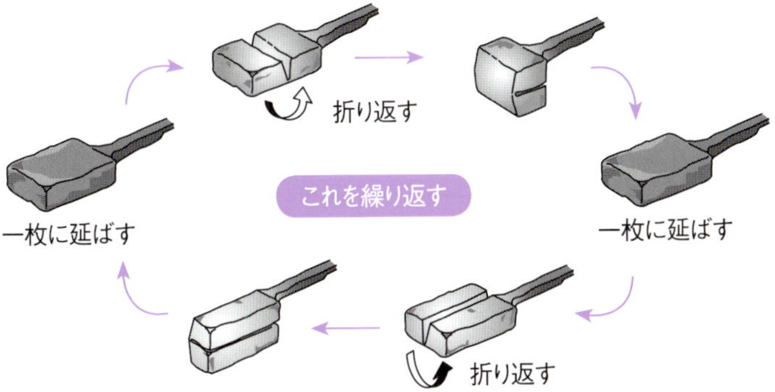

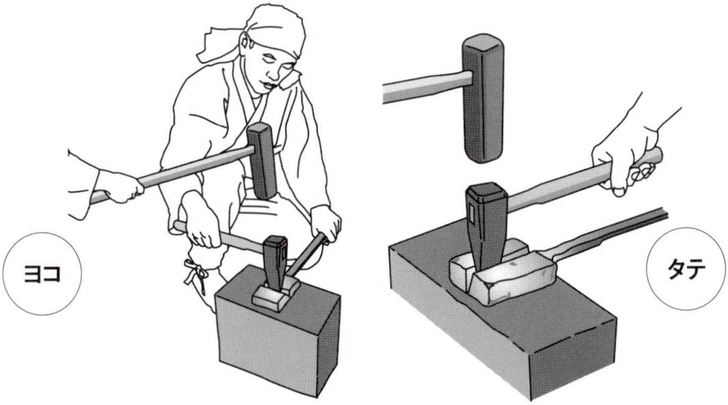

(図5) 切れ目を入れて折り返す。

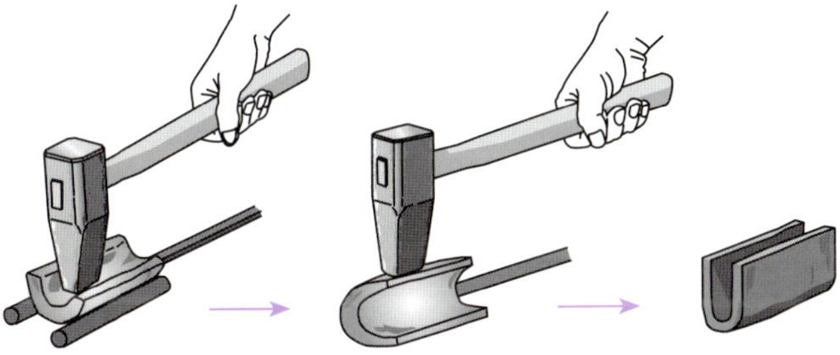

(図6) U字を使って曲げていく。　打ち曲げる。　皮鉄の完成。

心鉄造り・組み合わせ

●しんがねづくり・くみあわせ

皮鉄造りに前後して、心鉄を作ります（図７）。日本刀は「折れず、曲がらず、よく切れる」という３つの条件を追求したものですが、切れるためと曲がらないためには鋼は硬くなければならないし、逆に、折れないためには鋼は軟らかくなくてはなりません。この矛盾を解決したのが、炭素量が少なくて軟らかい心鉄を炭素量が高くて硬い皮鉄でくるむという方法です（図８）。これは日本刀製作の大きな特徴となっています。

くるむ方法、つまり組み合わせには、まくり、甲伏《こうぶ》せ、本三枚《ほんさんまい》、四方詰《しほうづめ》など多くの種類がありますが、これは時代、流派、個人によって異なります。

(図7)皮鉄の形に合わせて打ち整える。

心鉄の完成。

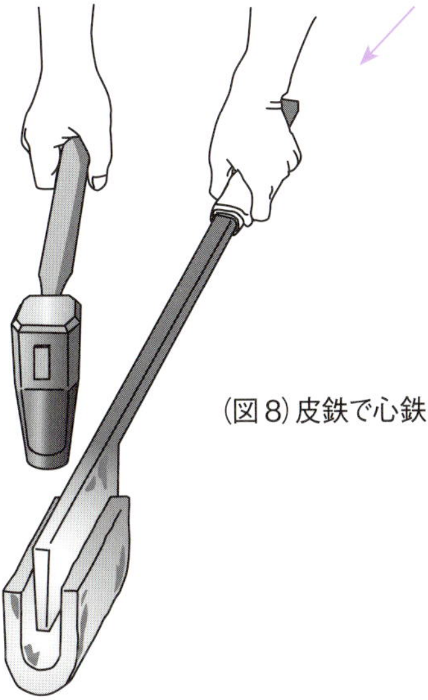

(図8)皮鉄で心鉄をくるむ。

素延べ・火造り

●すのべ・ひづくり

皮鉄と心鉄の組み合わせが終わると、これを熱して平たい棒状に打ち延ばします。これを素延べといいます（図９）。日本刀の長さまで打ち伸ばしたら、鋒《きっさき》を打ち出します。

素延べが終わると、小槌《こづち》で叩きながら日本刀の造込みの作法に従って形状を整え（図10）、さらに鏠鋤鑢《せんすきやすり》で肉置き（肉取り）を整えます。これが火造りです。

（図9）棒状に打ち延ばす。

鋒の打ち出し

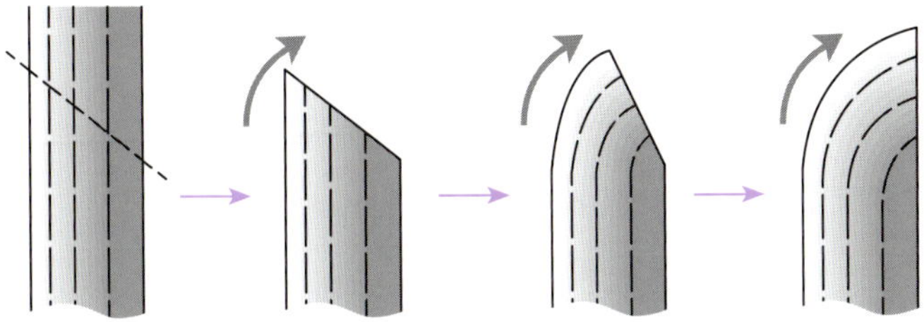

まず、斜めに切り落とす。　加熱して小鎚で叩き鋒を打ち出す。

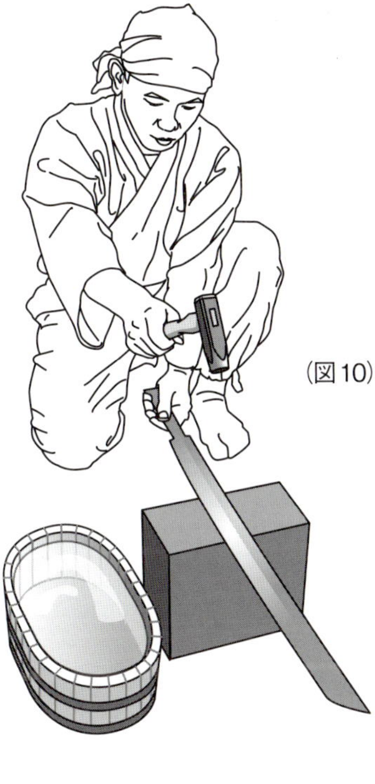

(図10) 形状を整える。

土置き・焼き入れ

つちおき・やきいれ

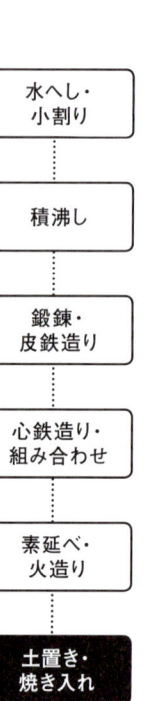

耐火性の粘土に木炭の細粉、砥石の細粉を混ぜて焼刃土《やきばつち》を作ります。これを刃文の種類に従って、土塗りをしていきます（図11）。

焼きの入る部分は薄く、他は厚く塗り、これを約800度くらいに熱して、頃合いを見て急冷します（図12）。

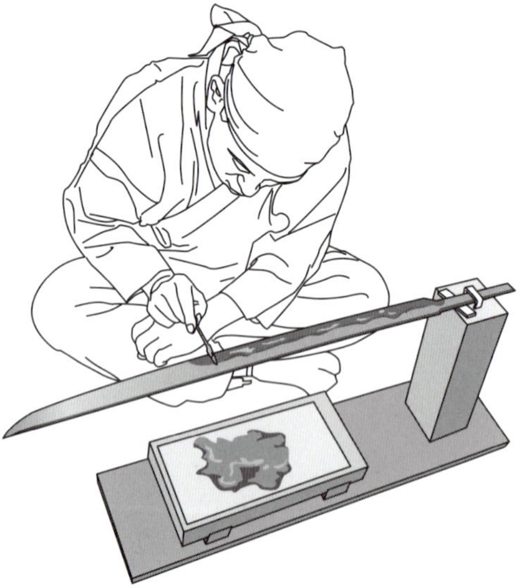

（図11）焼刃土を塗る。

（図12）刀身を熱する。

焼き入れ。

刀に因む言葉

焼きを入れる《やきをいれる》

たるんだ気持ちを引き締めさせること。

仕上げ・銘切り

●しあげ・めいきり

焼き入れが終わると、曲がり、反りなどを直して荒研ぎをします（図13）。

最後に、刀身に疵《きず》や割れができていないことを確認し、茎《なかご》の鑢仕立てを行い、目釘孔《めくぎあな》を入れ、最後に作者の銘を入れます（図14）。

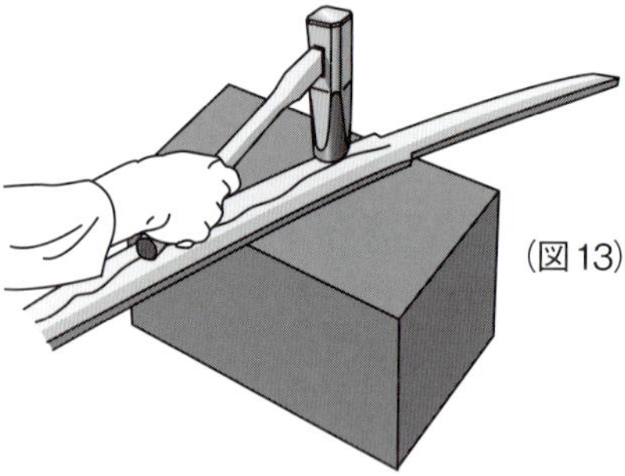

（図13）曲がり、反りを直す。

荒研ぎをする。

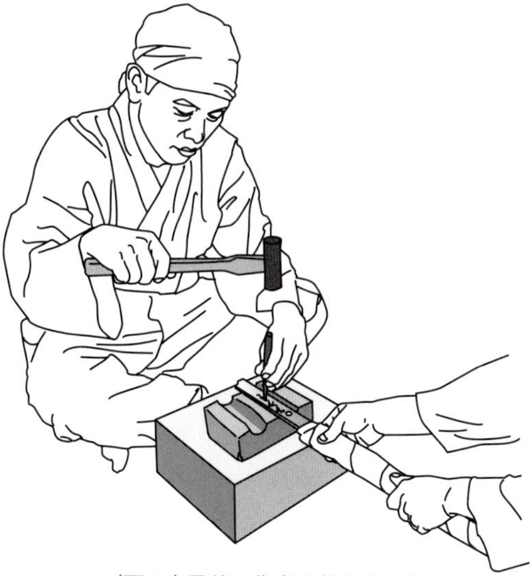

（図14）最後に作者の銘を入れる。

刀に因む言葉

鈍ら《なまくら》

切れ味の悪い刀のこと。転じて意気地がないこと、腕前が未熟であることの意味で使われるようになった。

日本刀の製作に携わる人たち

一振《ひとふ》りの日本刀が完成するには、
多くの職人の手による複雑な工程が必要です。
日本刀の製作は、古来維持されてきた
高度な職人の技術の結晶であり、
それゆえ日本刀は総合芸術と称されます。

●日本刀に携わる職人と主な仕事

刀匠《とうしょう》 ………………………… 刀身を作る。

研師《とぎし》 ………………………… 刀身を研ぐ。

刀身彫刻師《とうしんちょうこくし》 ………… 刀身に彫刻を施す。

白銀師《しろかねし》 ………………………… 主に鎺《はばき》を作る。

鞘師《さやし》 ………………………… 刀装の構想を練り、刀に合わせて鞘を作る。

塗師《ぬし》 ………………………… 鞘師が作った鞘に漆などを塗る。

柄巻師《つかまきし》 ………………………… 鞘の柄部分を鮫皮《さめがわ》などで包み、柄糸を巻く。

金工《きんこう》 ………………………… 鐔《つば》や目貫《めぬき》などの金具を作る。

※仕事の内容は個人差があり、これは一例です。

刀身を研ぐ！

日本刀は研がなければ深い輝きは得られません。
日本刀の研磨は、
作刀とともに高度な進展をとげてきました。
いくつもの工程と細心の技術が、
刀身が持つ本来の魅力を引き出します。

日本刀の研ぎの工程

日本刀は刀身を研ぐことで、
独特の曲線美、鍛えぬかれた地鉄《じがね》、
そして華麗な刃文など、
日本刀が持つ優雅さと尊厳が
導き出されます。

研師

下地研ぎ

●したじとぎ

日本刀の研ぎは大きく下地研ぎと仕上研ぎとに分けることができます。下地研ぎとは、刀剣の姿や形を整える基本的な仕事で、普通は6種類の砥石が用いられます。

砥石の種類

（産地は主要産地・バンは目の粗さを表し、数字が小さいほど粗い）

伊予砥《いよど》	愛媛県松山から産出	約400バン
備水砥《びんすいど》	熊本県天草から産出	約400バン
改正砥《かいせいど》	山形県から産出	約600バン
名倉砥《なぐらど》	愛知県南設楽郡から産出	約800～1200バン
細名倉砥《こまなぐらど》	愛知県南設楽郡から産出	約1500～2000バン
内曇砥《うちぐもりど》	京都から産出	約4000～6000バン

※内曇砥には刃の部分を研ぐ内曇刃砥《はと》と、地の部分を研ぐ内曇地砥《じと》の2種類がある。

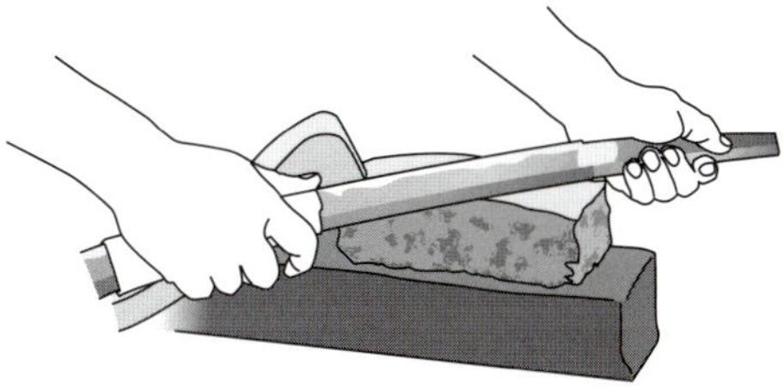

日本刀の質に合わせて砥石を変えて研いでいく。

仕上研ぎ

●しあげとぎ

下地研ぎ
仕上研ぎ
拭い
刃取り
磨き
なるめ
化粧磨き

下地研ぎが終わると、次に仕上研ぎに移ります。これには刃文の部分を研ぐ刃艶砥《はづやど》と、地の部分を研ぐ地艶砥《じづやど》とがあり、刃艶砥は良質の内曇砥を薄く、小さく削り、裏に吉野紙を膠《にかわ》や漆《うるし》で裏打ちして用います。

地艶砥は鳴滝砥を薄く割って用いますが、流派によっては指先でさらに1mm角に砕いて用い、これを砕《くだ》き地艶《じづや》と呼んでいます。

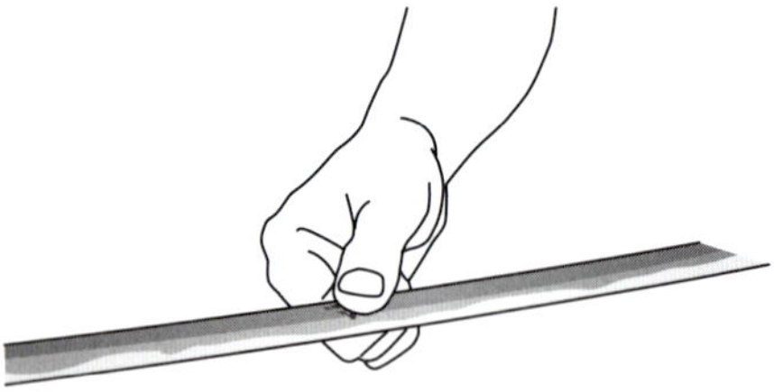

地艶砥を使って地鉄の肌目を整える。

拭い

●ぬぐい

仕上研ぎが終わると、次に拭いの作業に移ります。拭いとは、刀身に光沢を与えるために行われるもので、普通は金肌《かなはだ》拭いという方法が用いられます。これは、日本刀鍛錬のときにできる酸化鉄を長時間焼き、微粉末にしたものを丁子《ちょうじ》油と混ぜ、さらに吉野紙で十分こしたもので磨くという方法です。

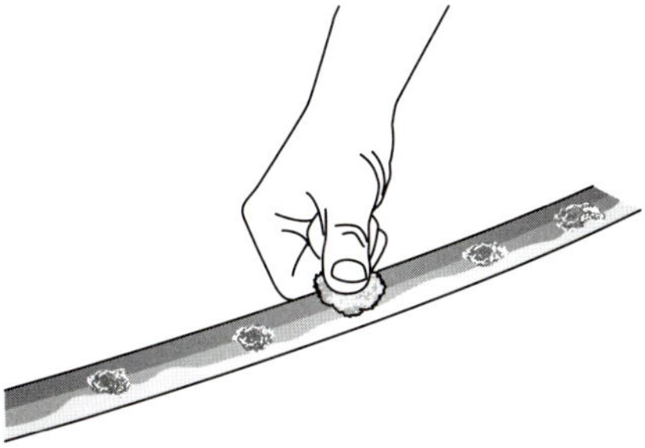

拭いによって日本刀に光沢を与える。

刀に因む言葉

地金がでる

じがねがでる

何度も研ぎを繰り返すことで、皮鉄に包まれた心鉄が出てしまった状態のことで、このことから普段隠している本性が出てしまったことをいう。

下地研ぎ
仕上研ぎ
拭い
刃取り
磨き
なるめ
化粧磨き

刃取り

●はどり

刃取りとは、刃の部分を白く美しく仕上げる作業をいいます。これに用いる砥石は刃艶砥で、内曇砥の砥汁をつけて刃文の形にそって研磨します。この作業を「刃を拾う」とも表現します。

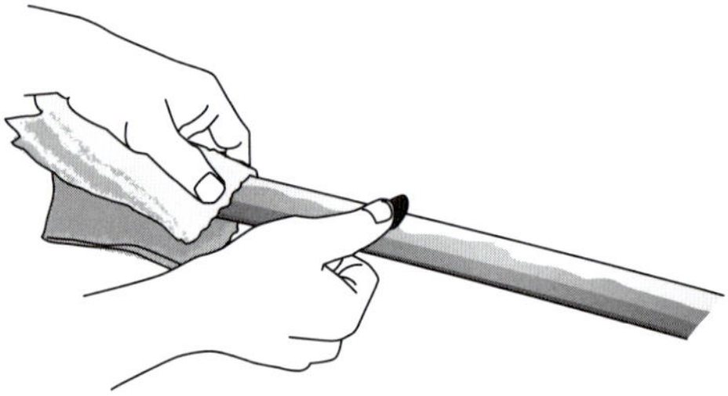

刃文に合わせて大きさを整えた刃艶砥を使う。

刀に因む言葉

急場凌《きゅうばしの》ぎ

急場とは本来は「急刃」であり、戦場で刀の刃が欠けたときに使う、切れ味は悪いがとりあえず戦えるようにした刀のこと。これから、なんとかその場を切り抜ける意味に転じ、急場となった。

磨き

みがき

刃取りを終えると、次は磨きに移ります。磨きとは、刀の棟、鎬地を長さ15cmほどの細い丸い鉄製の棒で磨き上げることをいいます。黒い独特の光沢は、この作業によって生まれるものです。

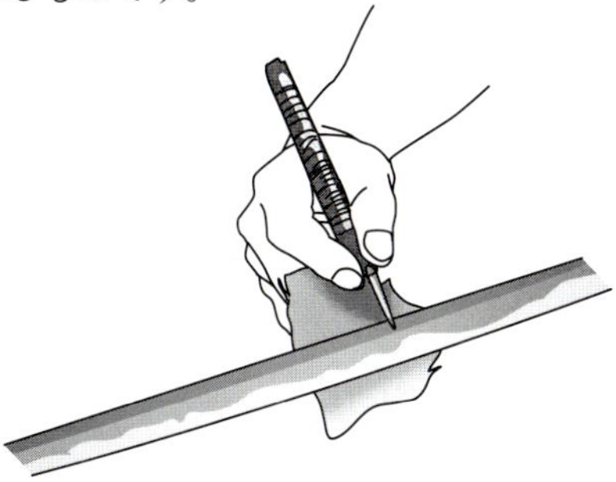

磨き棒を使って磨いていく。

なるめ

下地研ぎ

仕上研ぎ

拭い

刃取り

磨き

なるめ

化粧磨き

ほぼ最終的な仕事といえるものに、帽子の「なるめ」があります。なるめとは帽子を研磨することで、まず横手筋《よこてすじ》を決める（仕上げる）ことから始まります。

横手筋が決まると、次に最も良質な刃艶砥が貼られたなるめ台を用いて、横手筋を崩さないよう注意して帽子を研ぎ上げます。

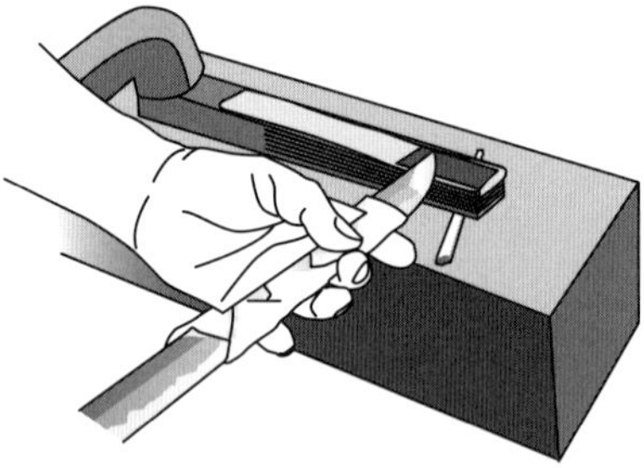

なるめ台を使い帽子を仕上げる。

化粧磨き

●けしょうみがき

長い工程を経てきた研磨は、最後に化粧磨きで終了します。この工程は、いわば研師のサインとも言うべきもので、磨き棒で鋒の棟と腰元の鎬地に数本の線を磨き入れることをいいます。

刀に因む言葉

抜き差しならぬ

ぬきさしならぬ

刀が錆びて鞘から抜けないこと、あるいは刀を抜いたら大事になり、納めれば納めたで問題になるようなことをいい、身動きがとれず、のっぴきならない状態を表す。

日本刀の手入れ

日常、刀身を保存する場合は、錆《さび》を防ぐため油を塗り白鞘《しらさや》（p98）に納めておきます。数か月に一度古い油を拭いとって、新しい油に塗りかえます。従って、汚れた油は出来るだけきれいに拭い取ることが必要であり、次には新しい油をくまなく薄く塗る（油を引くという）ことが肝要です。その基本的な手入れ道具を紹介します。

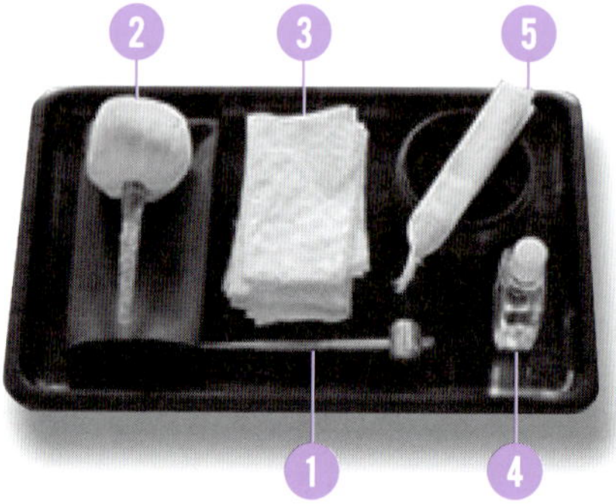

①目釘抜《めくぎぬき》　刀の目釘を抜く道具で、真鍮製のものや竹製のものなどがある。

②打粉　砥石の微細粉などを吉野紙で包み、さらにそれを綿、絹でくるんだもので、刀身をたたくと、白い粉が出る。

③拭《ぬぐ》い紙《かみ》　良質の奉書《ほうしょ》をよく揉んで軟らかくし、砂気や、ごみを充分除去したもので、下拭《したぬぐ》い用（油取り用）と上拭《あげぬぐ》い用（打粉取り用）とを分けて使用する（ネルを使う場合は、よく水洗いして糊気をとり、乾かしてから使う）。

④油　錆を防止するために塗る油で、丁子油《ちょうじあぶら》と呼ばれる。

⑤油塗紙　刀身に油を塗るときに用いるもので、拭い紙やネルなどを適当な大きさに切って使う。

刀身を飾る！

刀装は刀身を携帯し、使用しやすくするためのもので外装ともいい、
そこに用いられる金具類を刀装具といいます。
刀装はいうなれば、日本刀の外出着です。
実用性もさることながら、
意匠や技術は多様を極めています。
また刀装は分野ごとの職人による分業が連携して
完成されます。
匠たちの高度な技術が結集しているのです。

刀装と刀装具

刀装の形式を拵といいます。ここでは太刀と打刀の拵、および刀装具の種類と名称について紹介します。

拵 ●こしらえ

　拵には太刀《たち》拵《こしらえ》と打刀《うちがたな》拵《こしらえ》とありますが、両者は身につけた姿に違いがあり、刀装部位が同じでも、時代別、種別で便宜的に名称を区別しています。

飾《かざり》太刀《たち》拵

公家が身につけた儀式用の太刀拵で、江戸時代に至っても束帯着用時に用いた。その原形は奈良時代に見られる唐制の直刀様式を受け継ぎ、より華麗に装飾されている。

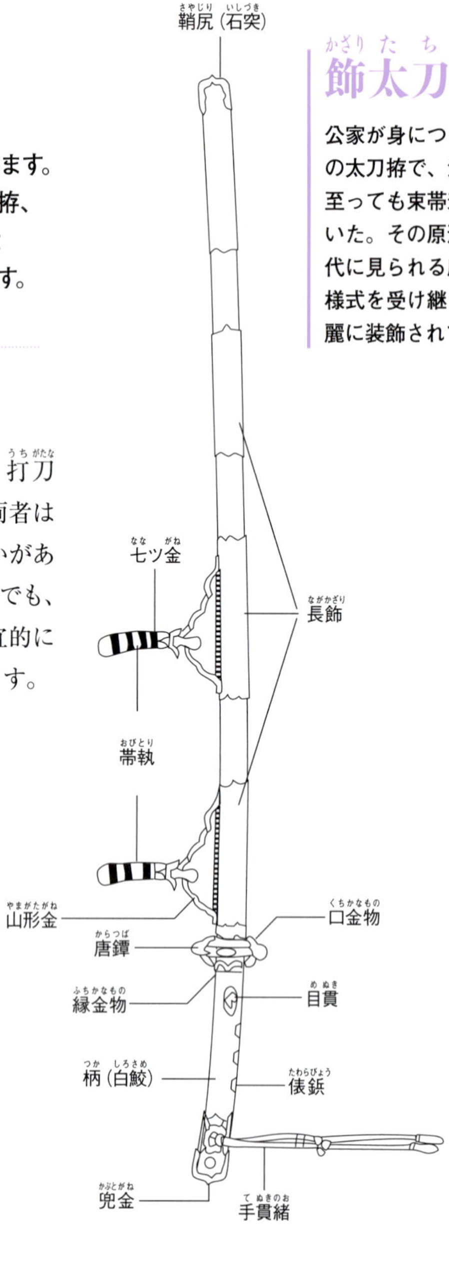

兵庫鎖太刀拵《ひょうごぐさりたち》

帯執《おびとり》に針金で編んだ鎖を用いているところからの名称で、平安時代後期から鎌倉時代にかけて公家や上層武家の間で多く用いられ、鎌倉時代後期になると社寺への奉納が多くなった。

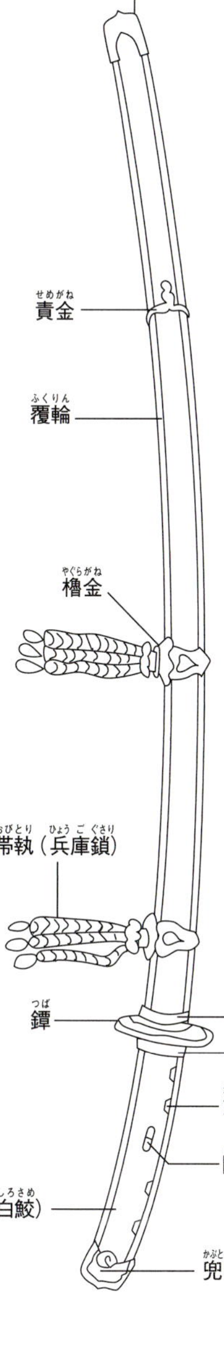

糸巻太刀拵《いとまきたち》

柄および渡巻《わたりまき》に金襴を着せた上に糸巻を施し、鞘の多くに蒔絵装飾が見られる。家紋を配し、近世における武家の兵仗・儀仗太刀拵のひとつであり、社寺への奉納や贈答用の太刀拵としても上層武家において重用された。

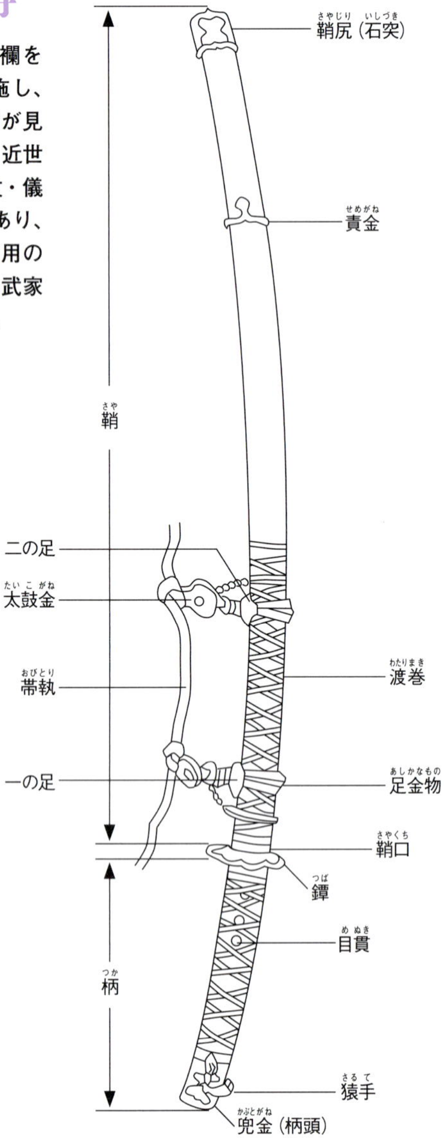

打刀拵《うちがたな》

戦国時代の実用の拵はあまり装飾性がなく、鞘も黒漆塗がほとんどであったが、江戸時代には多彩な装飾が見られた。鞘には朱塗や蒔絵などが施され、多様な装飾金具も多い。

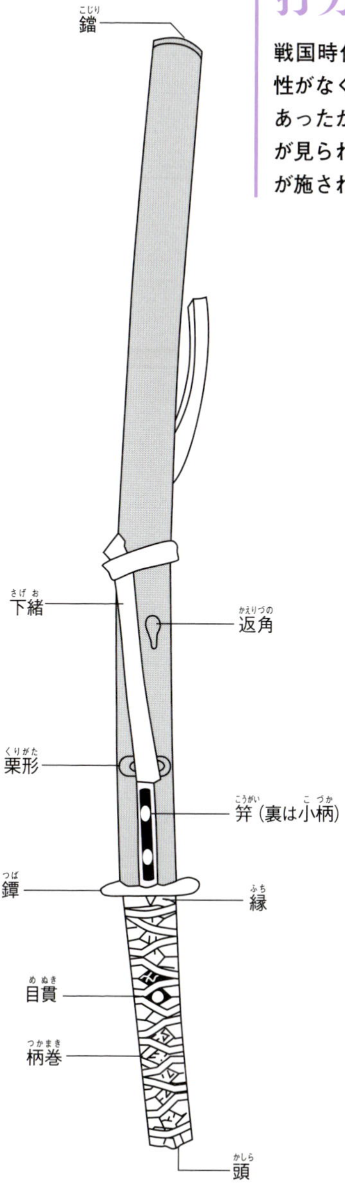

合口造短刀拵《あいくちづくりたんとう》

鞘の鯉口と柄の縁がぴったり合うようにつくられた、鐔のない短刀拵。

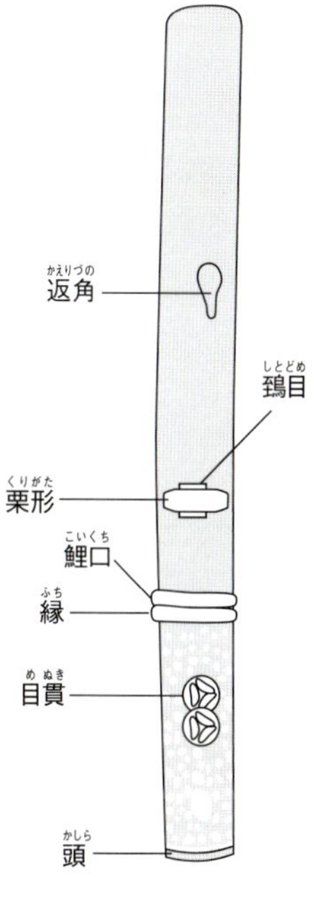

鞘 ●さや

刀身を携帯するときは鞘に納めます。鞘は古い時代には牛革や竹を用いたものもありましたが、やがて朴木《ほおのき》製が多くなりました。平鞘といわれる薄造です。

その後は厚みを加え、革包《かわつつみ》鞘、漆塗鞘等が多く用いられました。中世の装飾性の高い太刀拵には金銅装、銀装などが用いられ、また錦包《にしきつつみ》鞘・蛭巻《ひるまき》鞘・籐巻《とうまき》鞘などがあり、江戸時代の太刀拵では梨子地《なしじ》や沃懸地《いかけじ》、螺鈿《らでん》や蒔絵《まきえ》などの漆技法が用いられました。

近世の打刀、脇指、短刀の拵などは漆塗が基本で、武家の正式大小は、黒蠟色《くろろいろ》塗です（p15）。江戸時代中期以降は鞘塗にも変化を求め、各種変《かわ》り塗《ぬり》鞘が発達しました（p108）。

これらは漆芸技法を駆使して製作されたもので、芸術性の高いものです。この刀装を大切に保存し、その刀身も長期間使用せず保管するには、刀身を白鞘《しらさや》に納めます。白鞘とは素木《しらき》の鞘で、「休鞘《やすめざや》」ともいいます。白鞘は、油分が少なく木質が比較的均一で、やわらかく仕事がしやすいので、もっぱら朴材が用いられます。

刀に因む言葉

反りが合わない《そりがあわない》

刀はそれぞれ反りが違い、鞘もその刀に合わせて作られている。そのため他の鞘には入らないため、相性が悪いことを反りが合わないという。

刀に因む言葉

元の鞘に納まる《もとのさやにおさまる》

仲違いした者が元通り一緒になることを元の鞘に納まるという。

柄 ●つか

手で握る部分で、近世以降はもっぱら朴木《ほおのき》を白鮫皮《しろさめかわ》で包み、柄糸を菱目状に巻き締める菱糸巻《ひしいとまき》を施す形式が定着しました。

古くは柚木《ゆずのき》、堅木《かたぎ》などを用い、また古代には犀角《さいかく》・紫檀《したん》・沈香《じんこう》・黒柿《くろかき》・槻《つき》・赤木《あかぎ》などを包んで用いました。

公家太刀、儀仗太刀には菱糸巻は施さず、武家の戦陣用には韋《かわ》巻、糸巻が用いられました。戦国時代ごろから鮫皮包み糸巻柄《いとまきつか》が一般的となり、鮫皮も雨露に耐えるため黒漆塗鮫《くろうるしぬりさめ》が考案され、柄巻も韋《かわ》・平組糸の他、鯨鬚《くじらひげ》、麻糸巻なども用いられました。

柄巻には、柄糸を撮《つま》むようにして盛り上げた撮巻、柄糸が重なる部分を捻《ひね》ることでさらに高くした捻巻、盛り上がりをおさえた平巻などさまざまな巻き方が見られます。

柄巻の例

柄巻は縁の際から巻き始め、頭の下で巻き止める。
平巻は太刀拵、撮巻や捻巻は打刀拵に多い。

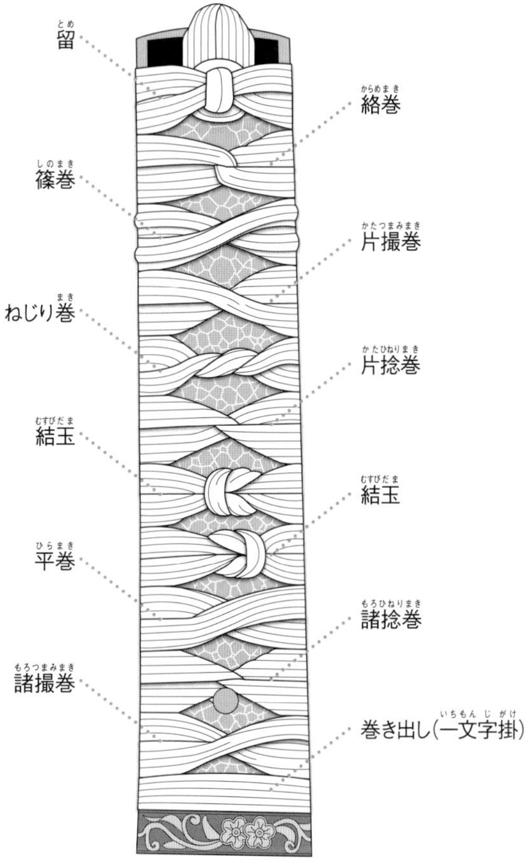

鎺　●はばき

鎺は刀身部と茎《なかご》の間に位置し、鞘の鯉口部で合わせると刀身が鞘の内部に浮くような形になって、鞘の木部に当たらないように支える役目があります。

太刀鎺と刀鎺があり、太刀鎺のごく古いものは刀身の先からはめ込んで鐔元で止めたものもありますが、後にはすべて茎尻《なかごじり》からはめ込んで止めるようになります。

本来は刀身を製作する刀工が鉄で作ったものであり、この鉄鎺は共鎺《ともはばき》と称して珍重されました。

太刀鎺は棟の呑込《のみこみ》のないものが多く、刀鎺には呑込を設け、一重鎺と二重鎺があります。古い時代の古刀には二重鎺、新刀には一重鎺が多く見られます。江戸時代には通常、銅製無文鎺が多く、大名家刀、名刀などに銀鎺、金鎺が用いられています。

近代以降には、華美な趣好から金鎺が多くなっています。鉄以外の色金を用いるところから、主に白銀師《しろがねし》の製作となります。

鎺の構造

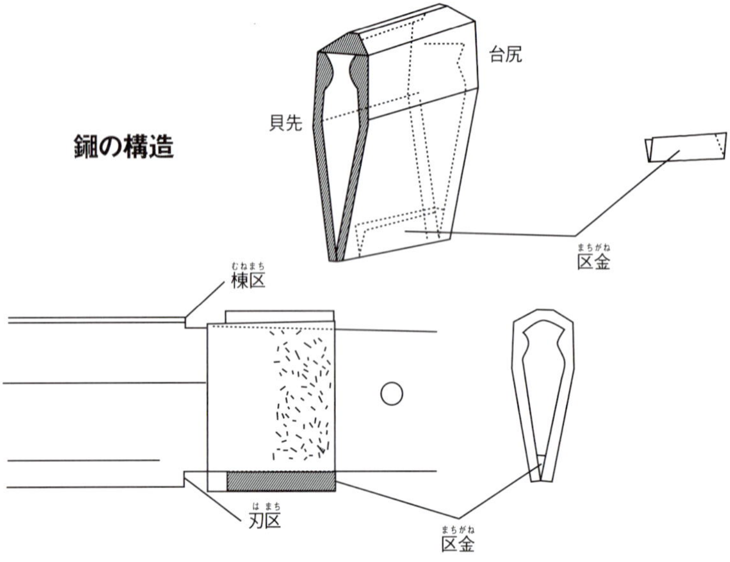

鎺の種類

太刀鎺《たちはばき》

呑込がなく縦に鑢《やすり》が施されたものが多い。

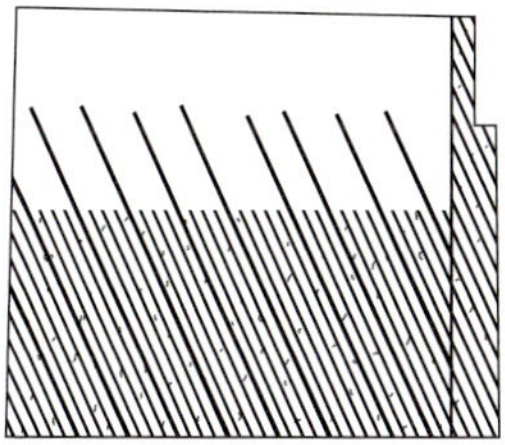

一重鎺《ひとえはばき》

一枚で仕立てたもの。各種色金《いろがね》に特有の鑢を施したものもある。

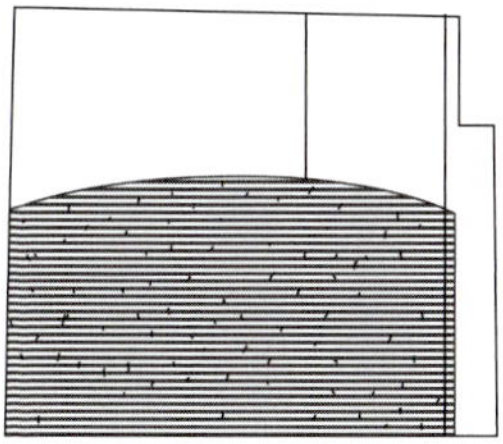

二重鎺《ふたえはばき》

刀身に接する下貝《したがい》と、それにはめ込む上貝《うわがい》との二重構造になったもの。

鐔 ●つば

鐔には太刀鐔と刀鐔とがあり、両者は茎櫃《なかごひつ》の上下位置が逆になります。

太刀鐔は太刀拵がよく用いられた室町時代以前に多く、練革を厚く重ね合わせ覆輪《ふくりん》を施した革鐔や、金銅製・鉄板製で、大形・薄造あるいは厚い覆輪を施したもの、大切羽《おおせっぱ》を付属したものがあります。

桃山時代以降はほとんどが刀鐔で、太刀鐔は糸巻太刀拵など儀仗《ぎじょう》・祭礼用に限られます。刀鐔は、その形式・地域・流派・材質・金工名などによってさまざまな名称があります。とくに江戸時代中期以降は各種色金《いろがね》、彫金技法を駆使しての彫金鐔が他の刀道具とともに数多く作られ、名工も輩出しました。

鐔の種類と各部の名称

太刀鐔

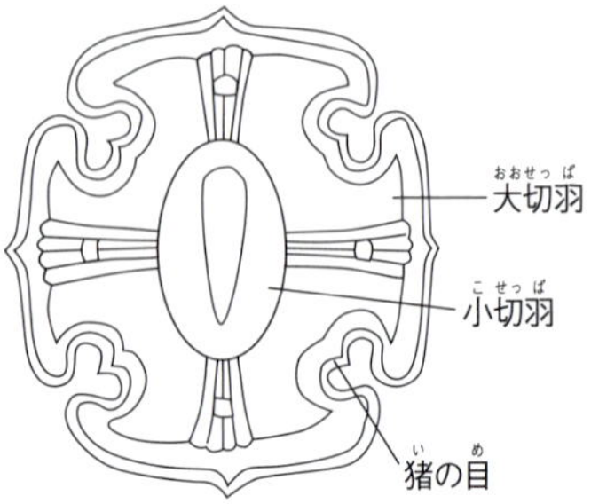

刀鐔

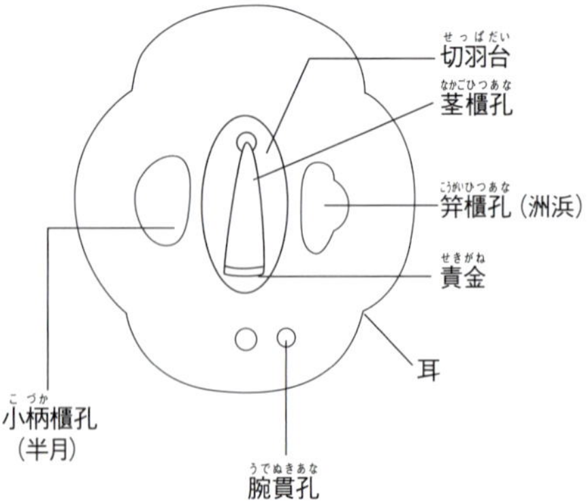

鐔の形状の例

丸形

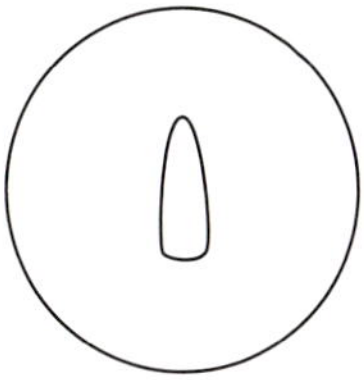

菊花形

撫角形《なでかく》

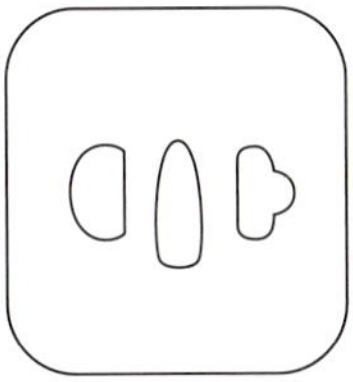

木瓜形《もっこう》

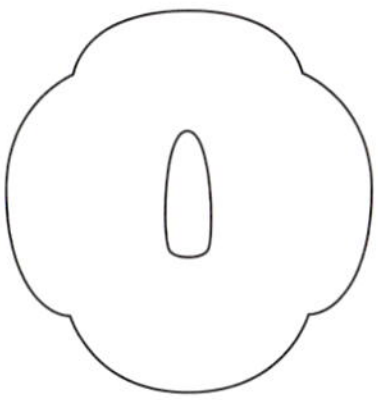

障泥形《あおり》

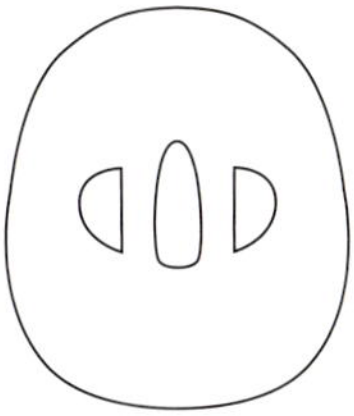

刀に因む言葉

切羽つまる《せっぱつまる》

切羽は鐔の表裏と縁・鎺《はばき》との間に嵌め、刀の鐔がガタガタしないように固定する。その様子から身動きできないほど追いつめられている状況をいう。

小柄、笄、目貫

●こづか　こうがい　めぬき

刀装具のうち、小柄・笄・目貫を総称して三所《みところ》物《もの》といい、この三点は統一された意匠や手法で製作されることがほとんどです。

小柄は現在のペーパーナイフに相当するもので、江戸時代は小刀柄《こがたなづか》と称されました。笄の一方は耳掻《みみかき》、他方は髷《まげ》を整えるものともいわれています。目貫は目釘から変化して飾り金具となり、柄の重要な位置に据えられ、手の滑り止めの役目も果たしています。

武家の正式な大小拵や献上拵にはこの三所物が必ずつきます。刀装金工の後藤家は、足利八代将軍義政に仕えた祐乗《ゆうじょう》を祖とし、以後代々豊臣家や徳川将軍家の御用を務めたことから、後藤家の作品は家彫《いえぼり》と呼ばれ、一般の人々の注文に応じて製作した町彫《まちぼり》とは区別されています。

刀に因む言葉

目抜き（目貫）通り

めぬきどおり

柄の要《かなめ》に位置し、いちばん目立つ金具である目貫から転じて、街で最も賑やかな通りを意味する。

小柄各部の名称

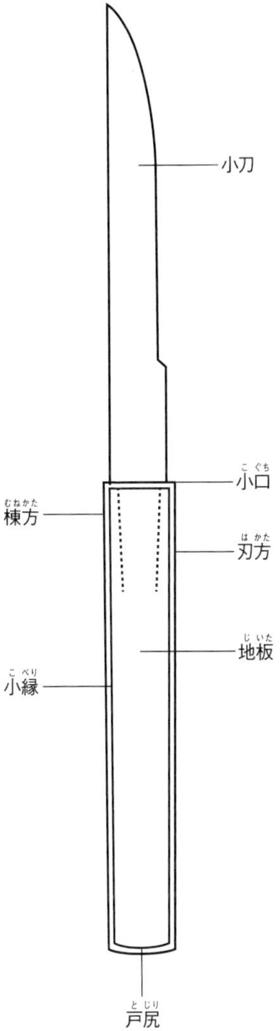

笄各部の名称

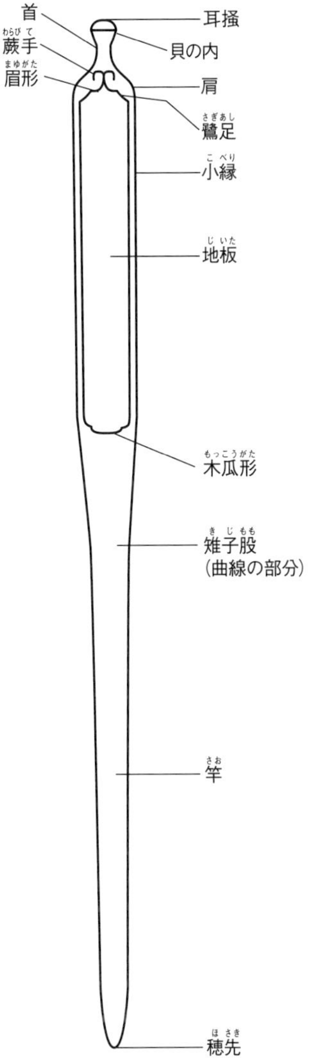

鞘塗《さやぬり》の技法

鞘塗は刀装の一部として奈良時代から現代まで、鞘の装飾と保護を兼ねて行われています。江戸時代の武士は公式の場では大小の黒塗鞘を着用しましたが、それ以外では洒落た変り塗の鞘を使用し、その技法は多様です。

絞漆《しぼうるし》による変り塗

漆の中に豆腐、生麩、卵白などを適度に混入したもの。乾燥が早く粘着性が増す。
→ 磯草《いそくさ》塗・時雨《しぐれ》塗など。

漆下地による変り塗

漆と砥《と》の粉を混ぜた錆下地を用いる。起伏の大きな模様を作ることができる。
→ 松皮《まつかわ》塗・桜皮《さくらがわ》塗・竹《たけ》塗など。

種や葉による変り塗

表面に漆を塗ってから菜種、籾殻《もみがら》、棕櫚《しゅろ》の毛、きざみ煙草の繊維などを蒔《ま》きつけて仕立てる。
→ 魚子《ななこ》塗・棕櫚毛《しゅろげ》塗など。

研出《とぎだし》による変り塗

色の異なった上塗を重ね、塗膜の表面をむらに研ぐことで変化をつける。
→ 朱微塵《しゅみじん》塗・紫檀《したん》塗・断文《だんもん》塗など。

吸上げによる変り塗

十分に乾燥する前の塗膜表面に、不乾性の漆で模様を描いて放置し、その部分を隆起させる。
→ 夜桜《よざくら》塗・布目《ぬのめ》塗など。

粉蒔きによる変り塗

表面に漆を塗り、乾燥した漆膜を粉にした乾漆粉や炭などの粉末を蒔きつける。
→ 石目《いしめ》塗・鉄錆《てつさび》塗など。

卵殻《らんかく》や貝による変り塗

卵殻や青貝の粉末を漆表面に蒔きつけて模様を表す。
→ 卵殻塗・青貝微塵《あおがいみじん》塗など。

図解 日本の刀剣 〉 資料編 〉

日本刀の鑑定

鑑定とは

日本刀を鑑賞し鑑識することは、日本刀が発生して間もなくに始まったと思われます。現存する最古の刀剣古伝書『龍造寺本銘尽《りゅうぞうじぼんめいづくし》』は、南北朝時代の書写本で、鎌倉時代後期に活躍した簗刑部左衛門入道《やなぎょうぶさえもんにゅうどう》の秘本を写したものといわれています。

足利義満の時代（1358〜1408）には刀剣の贈答が盛んになり、真偽鑑定も室町時代には行われています。さらには作品各々の、棟や鎬の形状、地鉄の状態、刃文など刀身についての文章化が進みます。

豊臣秀吉に仕えた本阿弥光徳《ほんあみこうとく》は、無銘の刀の作者がいかなる刀工かを極め（見極めること）、茎に金象嵌を施すことを始めました。本阿弥家は時の将軍家や大名家に仕え、江戸時代には、幕府が認める折紙を発行していました。

刀装具の世界では、家彫の後藤家（P106）が先代の作について、正真《しょうしん》（間違いなくその作家の作品という確認）と格付けを行いました。間違いのないものや人物を指す「折紙付き」という言葉はここからきたものです。

明治時代以降は鑑識者や愛刀家によって鑑定書や鞘書などの形で、鑑定は今日まで継承されています。

鑑定の実際

まず日本刀を鑑定する基本的な所作は、在銘であれば、銘の真偽を確認し、さらに時代や国をふまえ、作者の作風に合致するかなどを規範として判断します。

無銘の場合は、姿を見て原形の状態かどうか、磨《す》り上げられていれば元の状態を想定して、古刀期のものか新刀期か、ある程度の時代を推定します。次に地鉄や刃文から国や流派・作者を絞り込み、より妥当性が高い流派や作者に極めていきます。

刀装・刀装具などを鑑定する場合も基本的には同様です。形状や状態、作柄などにより時代を設定し、刀装具など銘がある場合は作者との合致を精査し、無銘のものは極めを検討します。

越中(富山県)の刀工、則重の古刀に付いている折紙。

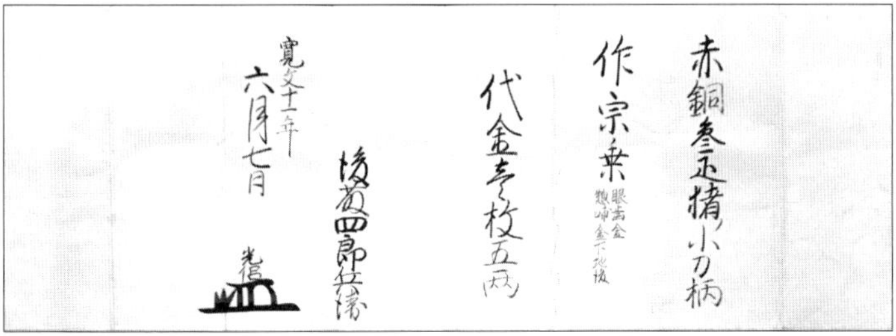

後藤家二代目、宗乗の小刀柄に付いている折紙。

日本刀の登録

日本刀所持に必要な登録証

日本刀には通常、「銃砲刀剣類登録証(登録証)」が付いていますから、登録証付きの日本刀を購入すれば自動的に所持の許可を得たということになります。しかし、たとえば家の中で発見した刀剣に登録証が付いていなかった場合などは、登録のための審査を受けないと所持できません。

審査を受けるには、まず発見された場所の所轄の警察署に「刀剣類発見届」を提出し、その後都道府県の教育委員会に刀剣登録審査日を問い合わせ、審査日に刀剣と、警察署が発行した「刀剣類発見届出済証」を持参して審査を受けます(審査には審査料が必要)。

審査に合格すれば登録証が交付され、日本刀の所持が認められます。審査の結果、不合格のときはその刀剣を所持することはできませんので、「刀剣類発見届出済証」を発行してもらった警察署に刀剣を提出することになります。

なお、登録済みの日本刀を譲り受けた場合は、登録証の名義を変更するだけで済みます。日本刀の登録は「対人」ではなく「対物」だからです。登録証を発行している都道府県の教育委員会に「所有者変更届書」を送付します。

登録審査の基準

審査に合格となるためには、規定の条件を満たしていなければなりません。合格するための条件、登録の対象にならないものは以下の通りです。

◉合格するための条件
・伝統的な製作方法によって鍛錬し、焼き入れを施した日本刀であるもの
・美術的価値の観点から、全体的にはなはだしい錆や疵《きず》、疲れ（繰り返し研磨されたことで、うっすら心鉄《しんがね》が現れている状態）のないもの

◉登録の対象とならないもの
・外国製の刀剣類
・火災で焼けたもの
・焼刃のないもの
・日本刀に類似する刀剣類で、日本刀としての伝統的な製作工程を経ていないもの

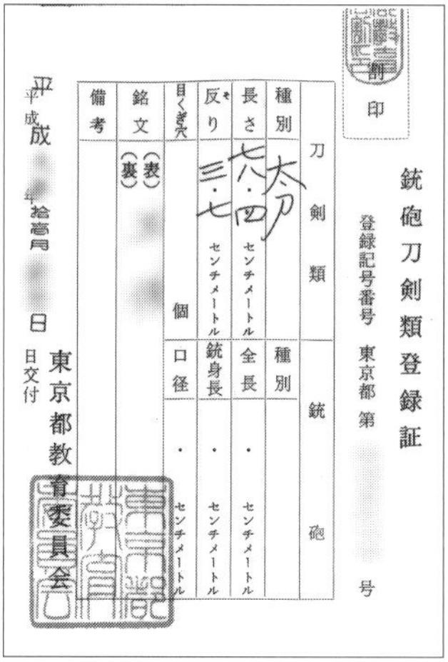
銃砲刀剣類登録証
登録記号番号 東京都 第 号
割印
刀剣類
種別 太刀
長さ 六八・四 センチメートル
反り 三・七 センチメートル
目くぎ穴 個
銘文 （表）（裏）
備考
銃砲
種別
全長 ・ センチメートル
銃身長 ・ センチメートル
口径 ・ センチメートル
平成 年 拾壱月 日 交付
東京都教育委員会

●登録証の見本

五畿七道《ごきしちどう》

五畿七道とは、古代律令制における地方行政区分で、歴代の朝廷所在地を中心とする畿内の五か国と、主要な七つの街道（付近の諸国）を指します。
文化や技術は街道沿いに伝播し、国は違っていても同じ街道筋では刀工や流派も作風などに共通した特徴が見られます。

五畿

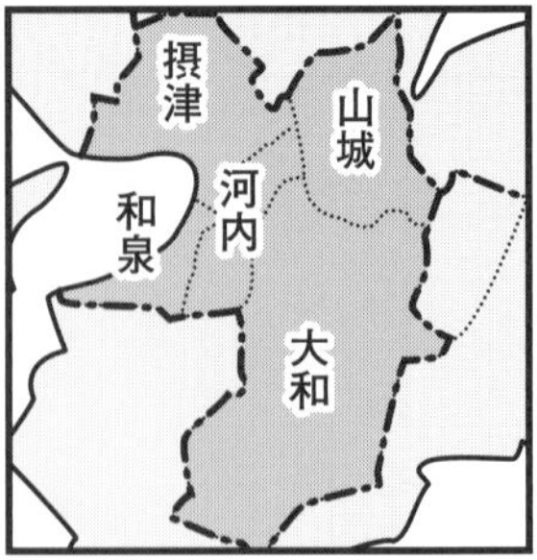

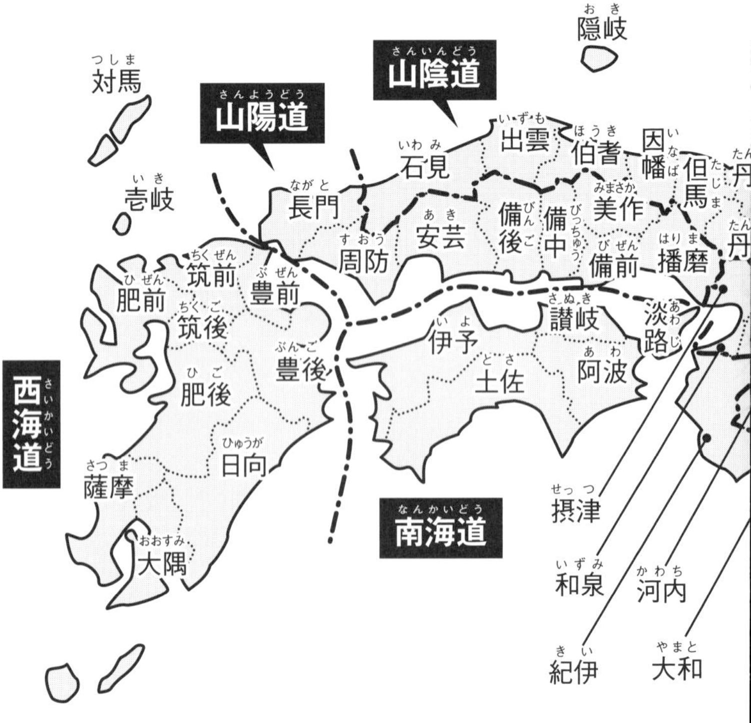

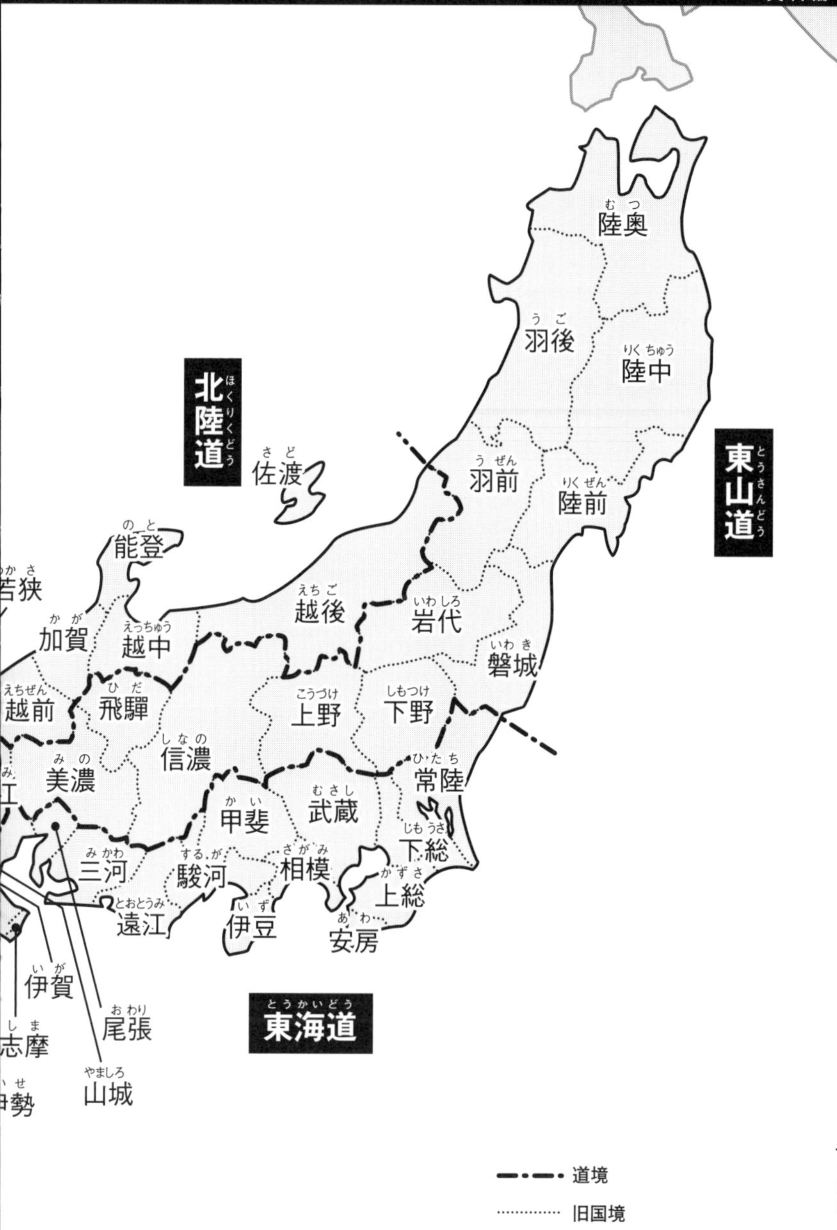

陸奥《むつ》
羽後《うご》
陸中《りくちゅう》
北陸道《ほくりくどう》
東山道《とうさんどう》
佐渡《さど》
羽前《うぜん》
陸前《りくぜん》
能登《のと》
若狭
越後《えちご》
岩代《いわしろ》
加賀《かが》
越中《えっちゅう》
磐城《いわき》
越前《えちぜん》
飛騨《ひだ》
上野《こうづけ》
下野《しもつけ》
信濃《しなの》
美濃《みの》
常陸《ひたち》
甲斐《かい》
武蔵《むさし》
下総《しもうさ》
三河《みかわ》
駿河《するが》
相模《さがみ》
上総《かずさ》
遠江《とおとうみ》
伊豆《いず》
安房《あわ》
伊賀《いが》
東海道《とうかいどう》
尾張《おわり》
志摩《しま》
山城《やましろ》
勢
道境
旧国境

街道別 主要刀工

古刀

街道	国	刀工
畿内	山城	三条系 ● 宗近　吉家　五条系 ● 兼永　国永 綾小路定利 粟田口系 ● 国友　国綱　則国　国吉　吉光 来系 ● 国行　二字国俊　来国俊　来国光　来国次　光包 長谷部系 ● 国重　国信　国平 了戒　了久信　信国 平安城長吉　三条吉則
	大和	千手院 当麻(国行)　尻懸(則長)　龍門(延吉) 手掻(包永　包清　包氏) 保昌(貞宗　貞吉　貞興) 金房
東海道	武蔵	下原系 ● 康重　周重　照重
	相模	新藤五国光　行光　正宗　貞宗 広光　秋広 正広　広正　広次 綱広　総宗　康春
	駿河	島田系 ● 義助　助宗　広助
	伊勢	千子系 ● 村正　正重
東山道	陸奥	月山　宝寿
	美濃	志津兼氏　直江志津系 ● 兼次　兼友　兼信 金重　金行 兼元　兼定 兼常　兼吉　兼房 大道　氏房　氏貞
	近江	高木貞宗　甘呂俊長

道	国	刀工
北陸道	越後	桃川長吉　山村正信
	越中	義弘　則重　為継 宇多系 ● 国房　国光　国宗
	加賀	真景　藤島友重 勝家　家次　景光　清光
	越前	千代鶴系 ● 国安　守弘
	若狭	冬広
山陰道	但馬	国光
	因幡	景長　行景
	伯耆	安綱　大原真守 広賀
	出雲	忠貞
	石見	直綱　貞綱 貞行　貞末　祥末
山陽道	備前	古備前物 ● 友成　正恒 古一文字 ● 則宗　助宗　成宗 一文字系 ● 福岡　吉岡　片山　正中各派 吉房　助真　則房　吉平　助吉　助光 長船嫡系 ● 光忠　長光　景光 長船傍系 ● 真長　近景 畠田系 ● 守家　真守 国宗系 ● 国宗 雲類 ● 雲生　雲次　雲重 元重系 ● 元重　重真 長義系 ● 長義　兼長　長重　長守 兼光系 ● 兼光　義光　倫光　基光　政光 吉井系 ● 景則　清則　吉則 大宮系 ● 盛景 小反物 ● 秀光　成家

山陽道	備前	応永備前●盛光　康光 永享備前●則光　祐光 末備前●勝光　宗光　祐定
	備中	妹尾系●則高　正恒 青江系●貞次　康次　守次 吉次　直次　次直　次吉
	備後	古三原系●正家　正広 末三原　貝三原　法華一乗
	周防	二王清綱　清永
	長門	安吉(長州左)　顕国
南海道	紀伊	入鹿　簀戸国次
	阿波	海部系●氏泰　氏吉
	土佐	吉光
西海道	筑前	良西　実阿　西蓮 左文字系●大左　安吉　行弘　弘安　吉貞 金剛兵衛盛高
	筑後	三池典太光世 大石左家永　資永
	豊前	神息　長円 筑紫信国
	豊後	定秀　行平 高田系●友行　時行　長盛　鎮盛 筑紫了戒系●能定　能真
	肥前	平戸左
	肥後	延寿系●国村　国資　国時　国吉 同田貫正国　上野介
	薩摩	波平系●行安　行正

新刀

畿内

京

理忠明寿　東山美平
堀川系 ● 国広　国安　国儔　正弘　弘幸　国路
三品系 ● 伊賀守金道　丹波守吉道　越中守正俊
近江守久道　丹後守兼道
南海太郎朝尊　千種有功　駒井慶任

大坂

国貞系 ● 和泉守国貞　井上真改
助広系 ● 越前守助広　近江守助直
包貞系 ● 越後守包貞　坂倉照包(二代包貞同人)
国助系 ● 河内守国助　伊勢守国輝　肥後守国康
忠綱系 ● 近江守忠綱　一竿子忠綱
石堂系 ● 多々良長幸
月山系 ● 月山貞吉　貞一
尾崎助隆　正隆

大和

筒井紀充

東海道

江戸

下坂系 ● 康継　継平
和泉守兼重　上総介兼重　大和守安定
虎徹系 ● 虎徹興里　興正　興久
法城寺系 ● 正弘　貞国　国光
石堂系 ● 是一　光平　常光
繁慶　繁昌
水心子系 ● 正秀　貞秀　直胤　直勝　正義　正次
清麿系 ● 清麿　真雄　清人　信秀　正雄
長運斎綱俊　固山宗次　泰龍斎宗寛
左行秀

常陸

坂東太郎卜伝　市毛徳鄰　勝村徳勝

尾張

政常系 ● 相模守政常　美濃守政常
信高系 ● 伯耆守信高
氏房系 ● 飛彈守氏房　備前守氏房

駿河

島田義助

相模

綱広

東山道	陸前	国包系●山城大掾国包　山城守国包 安倫系●安倫
	岩代	三善系●会津長国　長政　三善長道
	美濃	信濃守大道 御勝山永貞
	近江	佐々木一峯
北陸道	加賀	兼若系●兼若　高平　景平　清平 清光系●清光　行光 陀羅尼勝国
	越前	下坂系●康継(江戸)　肥後大掾貞国　兼法　重高　正則 堀川系●山城守国清
山陽道	播磨	手柄山氏繁
	備前	七兵衛尉祐定　上野大掾祐定　祐永　祐包
	備中	水田国重
	安芸	肥後守輝広　播磨守輝広
南海道	紀伊	南紀重国　文珠重国 石堂系●康広　為康
	土佐	陸奥守吉行　上野守吉国 左行秀(江戸) 南海太郎朝尊(京)

西海道	筑前	信国系 ● 吉包　吉政　重包　吉包 石堂系 ● 守次　是次
	筑後	鬼塚吉国
	豊後	高田系 ● 藤原行長　統行　貞行
	肥前	伊予掾宗次 初代忠吉　二代忠広　三代忠吉 初代正広　二代正広 初代忠国　二代忠国 初代行広　二代行広
	薩摩	伊豆守正房　備後守氏房 主水正正清　正盛　正近 一平安代　安在 大和守元平　元武 伯耆守正幸

製作年紀の表記

刀工は茎に自分の銘を入れますが、鎌倉時代初期頃より銘と一緒に製作年紀を刻んだ現存作が見られます（p9）。また中期頃よりは、製作年紀を干支《えと》で表記したものが現れるようになりました。この製作年紀を干支で表すという慣習は、時代が降った作にも多く見られ、江戸時代に広がりを見せた刀装具の作者たちも同様であり、ともに現代まで受け継がれています。

十干《じっかん》

甲	きのえ
乙	きのと
丙	ひのえ
丁	ひのと
戊	つちのえ
己	つちのと
庚	かのえ
辛	かのと
壬	みずのえ
癸	みずのと

十二支《じゅうにし》

子	ね	鼠
丑	うし	牛
寅	とら	虎
卯	う	兎
辰	たつ	竜
巳	み	蛇
午	うま	馬
未	ひつじ	羊
申	さる	猿
酉	とり	鶏
戌	いぬ	犬
亥	い	猪

干支とは、十干と十二支の組み合わせであり、十干の最初の「甲」と十二支の最初の「子」の組み合わせ「甲子《きのえね》」から始まり、「癸亥《みずのとい》」まで60通りある。

日本刀を鑑賞できる場所

刀剣博物館

刀剣博物館は、公益財団法人日本美術刀剣保存協会の付属施設として昭和43(1968)年に開館しました。刀剣類、刀装、刀装具、甲冑、金工資料など約200点を所蔵し、そのなかには国宝、重要文化財も数多く含まれます。

各種企画展や特別展、また伝統技術の保存継承のため、現代に活躍する刀匠や研師、鞘師といった職人たちの作品を展示する「現代刀職展」なども毎年行っています。

加えて博物館では、室町時代の刀剣書をはじめ、江戸時代における諸家秘伝書その他約1500点の刀剣関係古伝書を収蔵しています。

毎月一度マナー講座や定例鑑賞会を開催し、日本刀の鑑賞・鑑定や知識の向上に努めています。

公益財団法人
日本美術刀剣保存協会

第二次世界大戦後、危うく壊滅しようとしていた日本刀を混乱から救い、後世に伝えるため、昭和23(1948)年に文部大臣の認可により設立。

昭和43(1968)年、刀剣博物館を設置。さらに作刀材料確保のため昭和51(1976)年、日刀保たたらを開設。その技術である「たたら吹き」は文化財保護法の選定保存技術に認定されている。

事業内容の主旨は、博物館やたたらの運営を含め、日本刀・刀装・刀装具の鑑定、協力団体における鑑賞会の開催、また刀職者のための講習研修会や月刊広報誌の発刊など、日本刀の保存普及である。

©北嶋俊治

刀剣博物館

〒130-0015
東京都墨田区横網1丁目12-9
TEL.03-6284-1000
https://www.touken.or.jp/museum/
休館日:月曜日(祝日の場合開館、翌火曜日休館)・展示替期間・年末年始

日本刀を鑑賞できるその他の施設

致道博物館
〒997-0036
山形県鶴岡市家中新町10-18
TEL.0235-22-1199
https://www.chido.jp

**福井市立
郷土歴史博物館**
〒910-0004
福井県福井市宝永3丁目12-1
TEL.0776-21-0489
https://www.history.museum.city.fukui.fukui.jp

土浦市立博物館
〒300-0043
茨城県土浦市中央1丁目15-18
TEL.029-824-2928
https://www.city.tsuchiura.lg.jp

東京国立博物館
〒110-8712
東京都台東区上野公園13-9
TEL.050-5541-8600(ハローダイヤル)
https://www.tnm.jp

大倉集古館
〒105-0001
東京都港区虎ノ門2-10-3
TEL.03-5575-5711
https://www.shukokan.org/

根津美術館
〒107-0062
東京都港区南青山6-5-1
TEL.03-3400-2536
https://www.nezu-muse.or.jp

五島美術館
〒158-8510
東京都世田谷区上野毛3-9-25
TEL.050-5541-8600(ハローダイヤル)
https://www.gotoh-museum.or.jp

静嘉堂文庫美術館	〒100-0005 東京都千代田区丸の内 2-1-1 明治生命館 1 階 TEL.050-5541-8600（ハローダイヤル） https://www.seikado.or.jp
三井記念美術館	〒103-0022 東京都中央区日本橋宝町 2-1-1 三井本館 7 階 TEL.050-5541-8600（ハローダイヤル） https://www.mitsui-museum.jp
永青文庫	〒112-0015 東京都文京区目白台 1-1-1 TEL.03-3941-0850 https://www.eiseibunko.com
佐野美術館	〒411-0838 静岡県三島市中田町 1-43 TEL.055-975-7278 https://www.sanobi.or.jp
久能山東照宮博物館	〒422-8011 静岡県静岡市駿河区根古屋 390 TEL.054-237-2437 https://www.toshogu.or.jp/kt_museum/
徳川美術館	〒461-0023 愛知県名古屋市東区徳川町 1017 TEL.052-935-6262 https://www.tokugawa-art-museum.jp
彦根城博物館	〒522-0061 滋賀県彦根市金亀町 1-1 TEL.0749-22-6100 https://www.hikone-castle-museum.jp/

京都国立博物館
〒605-0931
京都府京都市東山区茶屋町527
TEL.075-525-2473(テレホンサービス)
https://www.kyohaku.go.jp

大阪歴史博物館
〒540-0008
大阪府大阪市中央区大手前4丁目1-32
TEL.06-6946-5728
https://www.mus-his.city.osaka.jp

岡山県立博物館
〒703-8257
岡山県岡山市北区後楽園1-5
TEL.086-272-1149
https://www.pref.okayama.jp/site/kenhaku/

備前長船刀剣博物館
〒701-4271
岡山県瀬戸内市長船町長船966
TEL.0869-66-7767
https://www.city.setouchi.lg.jp/site/token/

ふくやま美術館
〒720-0067
広島県福山市西町2丁目4-3
TEL.084-932-2345
https://www.city.fukuyama.hiroshima.jp/site/fukuyama-museum/

福岡市博物館
〒814-0001
福岡県福岡市早良区百道浜3丁目1-1
TEL.092-845-5011
https://museum.city.fukuoka.jp

※常設展示をしていない施設もあります。確認してお出かけください。

P123～126の情報は2024年7月現在のものです。

>>> 日本美術史年表

●＝没年

西暦	和暦	日本美術のおもな出来事	その他のおもな出来事
B.C. 16000?		・縄文土器の製作が始まる。(草創期＝円底深鉢、早期＝尖底深鉢、前期＝平底深鉢、中期＝火炎土器など、後期＝注口土器など、晩期＝亀ヶ岡式土器など)	
300		・弥生土器の製作が始まる(～ A.D.300頃)。	
A.D.			・百余国に分立。
57		…………	・倭奴国王、後漢に使いを送り印綬を受ける。
239		・魏の「景初三年」銘をもつ神獣鏡。…………	・倭国女王卑弥呼、魏に使いを送る。
		・このころ、土師器・埴輪がつくられる。	
		・仁徳天皇陵など巨大古墳の造営が相次ぐ。	
443		・隅田八幡神社人物画像鏡(一説 503)。	
		・このころ、須恵器の生産が始まる。	
471	(雄略15)	・稲荷山古墳出土鉄剣(一説 531)。	
513	(継体7)	・百済から五経博士来日。	
538	(宣化3)	・仏教公伝(百済の聖明王が仏像・経典を伝える。書紀 552)。	
552	(欽明13)	・蘇我稲目・物部尾輿、仏像崇拝をめぐり対立。	
577	(敏達6)	・百済から僧尼・造仏工・造寺工来日。[11月]	
584	(13)	・百済から弥勒石像が伝えられる。[9月]	
588	(崇峻1)	・百済から瓦博士・画工などが来日。 ・法興寺(飛鳥寺)造営開始(596竣工)。	
593	(推古1)	・難波に四天王寺を起工。…………	・聖徳太子、摂政就任。
594	(2)	・仏教興隆の詔。各氏が寺院を建立。	
603	(11)	・広隆寺(蜂岡寺)造営。[11月]…………	・冠位十二階を制定。
604	(12)	…………	・十七条憲法制定。
606	(14)	・止利仏師作、飛鳥寺(元興寺)本尊。[4月] ・丙寅年銘弥勒菩薩半跏像(法隆寺旧蔵・東京国立博物館蔵)。	
607	(15)	・法隆寺(斑鳩寺)建立。…………	・小野妹子らを随に遣わす(遣隋使)。
609	(17)	・安居院釈迦如来像。	
610	(18)	・曇徴、紙・墨・絵の具の製法を伝える。[3月]	
615	(23)	・伝聖徳太子筆「三経義疏」このころなる。	

西暦	和暦	日本美術のおもな出来事	その他のおもな出来事
622	(推古30)	●聖徳太子没(49歳)(日本書紀では629) ・橘大郎女、中宮寺「天寿国繍帳」をつくる。	
623	(31)	・止利仏師、法隆寺金堂釈迦三尊像造立。[3月]	
628	(36)	・法隆寺戊子年銘小釈迦三尊像なる。	
630	(舒明2)	…………	・犬上御田鍬を唐に遣わす(遣唐使)。
639	(11)	・百済大寺(大安寺の前身)起工。[7月]	
643	(皇極2)	・浄土寺(山田寺)金堂建立。	
645	大化 1	・仏教興隆の詔。[8月] …………	・大化改新。
646	2	・放生院宇治橋断碑。	
650	白雉 1	・初の丈六仏像・脇侍・八部など36像が、大安寺でつくられる。[10月] ・漢山口大口、千仏像を刻む。 ・法隆寺玉虫厨子・観音菩薩像(百済観音)・金堂四天王像、このころか。	
651	白雉 2	・辛亥年銘観音菩薩像(法隆寺旧蔵・東京国立博物館蔵)。	
658	(斉明4)	・観心寺観音像、このころか。	
663	(天智2)	…………	・白村江の戦い。
666	(5)	・野中寺弥勒菩薩像。[4月]	
667	(6)	…………	・近江大津宮に遷都。
668	(7)	・近江の崇福寺建立。[1月]	
670	(9)	・法隆寺全焼。[4月]	
672	(天武1)	…………	・壬申の乱。
673	(2)	・川原寺で一切経を書写。[3月]	
680	(9)	・天武天皇、薬師寺の建立を発願(698完成)。	
681	(10)	・当麻寺建立。	
685	(14)	・山田寺丈六薬師如来開眼(興福寺仏頭)。[3月] ・金剛場陀羅尼経なる(現存最古の写経)。[5月] ・伊勢神宮の式年遷宮の制を定める。[9月]	
692	(持統6)	・出雲国鰐淵寺壬辰年銘観音菩薩像。[5月]	
694	(8)	…………	・藤原京遷都。
698	(文武2)	・日本現存最古の梵鐘鋳造(妙心寺蔵)。[4月] ・薬師寺造営完了。[10月]	

●＝没年

西暦	和暦	日本美術のおもな出来事	その他のおもな出来事
701	大宝 1	・法隆寺観音菩薩像(夢違観音)、このころか。	・大宝律令なる。
706	慶雲 3	・法起寺三重塔なる。[3月]	
710	和銅 3	・山階寺を平城に移し、興福寺とする。[3月]	・平城京遷都。
711	4	・法隆寺五重塔塑像、中門二王像。	
712	5		・「古事記」なる。
718	養老 2	・法興寺・薬師寺を平城京に移す。	
720	4		・「日本書紀」なる。
721	5	・興福寺北円堂建立。[8月]	
726	神亀 3	・興福寺東金堂建立。[7月]	
730	天平 2	・薬師寺東塔(三重塔)建立。[3月] ・興福寺五重塔建立。[4月]	
734	6	・興福寺西金堂建立。同八部衆像、十大弟子像。	
739	11	・法隆寺夢殿に観音菩薩像(救世観音)を安置。	
740	12		・藤原広嗣の乱。
741	13	・国分寺・国分尼寺造営の詔。[2月]	
743	15	・東大寺盧舎那仏(大仏)造立の詔。[10月]	
744	16	・光明皇后筆「楽毅論」。[10月]	
747	19	・新薬師寺建立。[3月]	
748	20	・新薬師寺十二神将像、このころまでになる。	
749	天平勝宝1	・東大寺法華堂(三月堂)不空羂索観音像・梵天・帝釈天・四天王像、この年以前に安置。	
752	4	・東大寺盧舎那仏開眼供養。[4月] ・正倉院「鳥毛立女図屛風」このころか。	
754	6		・鑑真来日。
755	7	・東大寺に戒壇院を建立。[9月]	
756	8	・正倉院創設。[6月] ●聖武天皇没(56歳)	
759	天平宝字3	・鑑真、唐招提寺開基。[8月]	
760	4	●光明皇后没(60歳)	
762	6	・石山寺建立。[8月]	
763	7	●鑑真没(77歳)	
764	8		・恵美押勝の乱。

西暦	和暦	日本美術のおもな出来事	その他のおもな出来事
765	天平神護1	・西大寺創建。	
770	神護景雲4	・百万塔陀羅尼経を諸寺に分置。[4月]	
780	宝亀11	・秋篠寺建立(異説776)。	
781	天応1	・このころ室生寺建立。	
784	延暦3		・長岡京遷都。
788	7	・最澄、比叡山に一乗止観院(延暦寺)を創建。	
791	10	・興福寺北円堂四天王像。	
793	12	・神護寺薬師如来像、このころか。	
794	13	・平安京の造営に際し、緑釉瓦が焼かれる。	・平安京遷都。
796	15	・東寺・西寺・鞍馬寺創建。	
804	23	・最澄・空海・橘逸勢ら入唐(最澄805帰国。空海806帰国)。	
810	弘仁1		・藤原薬子の乱。
816	7	・空海、高野山を下賜される(819金剛峯寺建立)。 ・興福寺南円堂金銅灯籠なる。	
820	11	・嵯峨天皇、このころ京都大沢に離宮庭園(大沢池庭園)をつくる。	
821	12	・東寺真言七祖像なる。[8月]	
822	13	●最澄没(56歳)	
823	14	・空海、東寺を下賜され、教王護国寺を開く。 ・嵯峨天皇筆「光定戒牒」。	
833	天長10	・神護寺両界曼荼羅、このころか。	
835	承和2	●空海没(63歳)	
838	5	・園城寺不動明王(黄不動)、このころか。	
839	6	・東寺(教王護国寺)五大明王・五大菩薩・四天王・梵天・帝釈天像、開眼供養。[6月]	
840	7	・広隆寺講堂阿弥陀如来像・観心寺如意輪観音像、このころか。	
866	貞観8		・応天門の変。
874	16	・醍醐寺創建。[6月]	
875	17	・神護寺梵鐘なる。[8月]	
876	18	・嵯峨院を大覚寺と改称する。[2月] ・祇園社(八坂神社)創建、このころか。	
888	仁和4	・仁和寺金堂建立。同阿弥陀三尊像、このころか。	
889	寛平1	・賀茂上下社の臨時祭、初めて行われる。[11月]	

●＝没年

西暦	和暦	日本美術のおもな出来事	その他のおもな出来事
894	寛平 6	・・・・・・・・・・・・・・・・・・・・・・・・・・・・・・・・・・・	・遣唐使廃止。
		・薬師寺僧形八幡神像、寛平年間になる。	
899	昌泰 2	・東寺(教王護国寺)両界曼荼羅なる。	
901	延喜 1	・・・・・・・・・・・・・・・・・・・・・・・・・・・・・・・・・・・	・菅原道真、大宰権帥に左遷。
905	5	・・・・・・・・・・・・・・・・・・・・・・・・・・・・・・・・・・・	・「古今和歌集」編纂始まる。
		・このころ「延喜式」で、尾張・摂津・讃岐・長門・筑前が瓷器・陶器を朝貢するよう定める。	・平将門・藤原純友の乱(935～941)。
938	天慶 1	・空也、京で念仏を広める(浄土教盛ん)。	
946	9	・岩船寺阿弥陀如来像。[9月]	
947	天暦 1	・北野天満宮建立。[6月]	
951	5	・醍醐寺五重塔完成。[10月] ・空也、西光寺(のち六波羅蜜寺)の諸像建立。	
966	康保 3	●小野道風没(71歳)	
970	天禄 1	・新薬師寺木造千手観音像。	
972	3	●空也没(70歳)	
985	寛和 1	・・・・・・・・・・・・・・・・・・・・・・・・・・・・・・・・・・・	・源信「往生要集」。
990	正暦 1	・法隆寺講堂建立。同薬師三尊像・四天王像もこのころ造立。	
991	2	・藤原佐理筆「離洛帖」。[5月]	
998	長徳 4	●藤原佐理没(55歳)・・・・・・・・・・・・・・・・・・・・・・・・・	・「枕草子」「源氏物語」、このころなる。
1013	長和 2	・興福寺薬師如来像。[8月]	
1017	寛仁 1	・・・・・・・・・・・・・・・・・・・・・・・・・・・・・・・・・・・	・藤原道長、太政大臣。
1018	2	・藤原行成筆「白氏詩巻」。[8月]	
1020	4	・藤原道長、無量寿院阿弥陀堂(のち法成寺)建立。慶尚・定朝作の九体阿弥陀像を安置する。	
1022	治安 2	・定朝、法成寺造仏の功により、法橋となる。	
1027	万寿 4	●藤原道長没(62歳) ●藤原行成没(56歳)	
1047	永承 2	・浄瑠璃寺創建。[7月]	
1051	6	・日野法界寺建立、このころか。・・・・・・・・・・・・・・	・前九年の役起こる。
1052	7	・藤原頼通、宇治の別荘を仏寺とし、平等院と称する。[3月]・・・・・・・・・・・・・・・・・・・・・・・・・・・	・末法初年(末法思想流行)。

西暦	和暦	日本美術のおもな出来事	その他のおもな出来事
1053	天喜 1	・平等院鳳凰堂建立。阿弥陀如来像(定朝作)を安置する。雲中供養菩薩像・扉絵九品来迎図もこのころなる。	
1057	5	●定朝没(年齢不詳)	
1063	康平 6	・源頼義、鎌倉鶴岡八幡宮を建立。[8月]	
1064	7	・長勢、広隆寺の十二神将像、日光・月光菩薩像を造立。	
1069	延久 1	・法隆寺聖徳太子童形座像(円快作)、聖徳太子絵伝(秦致貞作)、このころなる。 ・観世音寺十一面観音像。	
1075	承保 2	・白河天皇、法勝寺の造営開始。	
1083	永保 3	…………………………	・後三年の役起こる。
1086	応徳 3	・高野山金剛峯寺「仏涅槃図」なる。[4月]……………	・白河上皇、院政開始。
1091	寛治 5	●長勢没(82歳)	
1094	嘉保 1	・橘俊綱、この年までに「作庭記」(前栽秘抄)を著す。……	・僧徒の乱闘相次ぐ。
1105	長治 2	・藤原清衡、奥州平泉に中尊寺建立。[2月]	
1107	嘉承 2	・藤原清衡、中尊寺大長寿院建立。[3月]	
1112	天永 3	・鶴林寺太子堂建立。	
1117	永久 5	・藤原基衡、このころ平泉に毛越寺庭園をつくる。	
1121	保安 2	・法隆寺聖霊院の聖徳太子像・侍者像4体、このころなる。 ・「源氏物語絵巻」このころなる(1120～1140)。	
1124	天治 1	・醍醐寺薬師堂上棟。[4月] ・中尊寺金色堂建立。[8月]	
1127	大治 2	・鞍馬寺吉祥天像このころか。	
1132	長承 1	・平忠盛、鳥羽上皇のために得長寿院(白河千体観音堂)建立。	
1140	保延 6	●鳥羽僧正没(88歳)…………………	・西行、出家。
1145	久安 1	・このころ、渥美古窯で製陶が始まる。	
1148	4	・三千院阿弥陀三尊像。[6月]	
1150	6	・浄瑠璃寺庭園、築造される。	
1151	仁平 1	・奈良長岳寺阿弥陀三尊像。	
1156	保元 1	・高野山金剛峯寺両界曼荼羅なる。…………………	・保元の乱。
1159	平治 1	…………………………	・平治の乱。
1160	永暦 1	・陸奥磐城に白水阿弥陀堂建立。	
1161	応保 1	・当麻寺本堂(曼荼羅堂)建立。[3月]	

●＝没年

西暦	和暦	日本美術のおもな出来事	その他のおもな出来事
1164	長寛 2	・平清盛、厳島神社に納経(平家納経)。[9月] ・平清盛、蓮華王院(三十三間堂)創建。	
1168	仁安 3	・豊後富貴寺大堂建立、このころか。 ・平清盛、厳島神社の社殿を修復。	・重源・栄西、帰国。
1175	安元 1		・源空(法然)、専修念仏を唱える。
1176	2	・藤原秀衡、一切経を書写。[3月] ・明円、大覚寺五大明王像の造像始める。[11月] ・運慶作、円成寺大日如来像。	
1178	治承 2	・浄瑠璃寺三重塔、一条大宮より移築。[11月]	
1179	3	・「伴大納言絵詞」このころなるか。	
1180	4	・平重衡の乱により、東大寺・興福寺を焼く。 ・「信貴山縁起絵巻」この年までになる。	
1183	寿永 2	・重源・陳和卿、東大寺大仏の鋳造を始める。	
1185	文治 1	・東大寺大仏再興、開眼供養を行う。[8月]	・壇ノ浦の戦い。
1186	2	・運慶、伊豆願成就院の仏像の造像開始。[5月]	
1189	5	・康慶、興福寺南円堂の不空羂索観音像などを造像する。[9月]	
1191	建久 2		・栄西、再入宋より帰国、臨済宗を伝える。
1192	3	・重源、浄土寺浄土堂を建立。[9月]	・源頼朝、征夷大将軍。
1194	5	・石山寺多宝塔建立。[12月] ・快慶、浄土寺阿弥陀三尊像を造立。	
1195	6	・東大寺大仏殿再建供養。[3月]	
1196	7	・定慶、興福寺東金堂維摩居士像をつくる。[7月]	
1197	8	・金剛峯寺八大童子像(伝運慶作)、このころか。	
1198	9	・後鳥羽上皇、熊野懐紙を書く。[10月]	
1199	正治 1	・東大寺南大門再建、法華堂(三月堂)修造。	
1200	2	・東大寺開山堂建立、このころか。	
1201	建仁 1	・快慶、東大寺僧形八幡神像を造立。[12月]	
1202	2	・栄西、建仁寺を創建。 ・定慶、興福寺梵天像を造立。[3月]	
1203	3	・運慶・快慶作、東大寺南大門二王像(金剛力士像)完成。[10月]	

西暦	和暦	日本美術のおもな出来事	その他のおもな出来事
1205	元久2	……	・「新古今和歌集」なる。
1206	建永1	・高弁(明恵)、栂尾高山寺を創建。[11月] ・東大寺重源像、このころなるか。	
1207	承元1	・運慶一門の衆阿弥ら、興福寺東金堂の十二神将像を完成。[4月] ……	・専修念仏禁止。法然・親鸞配流。
1212	建暦2	・運慶、興福寺北円堂の弥勒仏・無著像・世親像を完成。 … ●法然没(80歳)	・鴨長明「方丈記」。
1215	建保3	・康弁、興福寺の天灯鬼・竜灯鬼像つくる。[4月]	
1219	承久1	・「北野天神縁起絵巻」このころなる。	
1221	3	……	・承久の乱。
1223	貞応2	・高野山金剛三昧院多宝塔なる。 …… ●運慶没(年齢不詳)	・道元、入宋。
1224	3	・定慶、毘沙門天像(東京藝大蔵)をつくる。 ……	・親鸞、浄土真宗を開く。「教行信証」著す。
1226	嘉禄2	・定慶、鞍馬寺聖観音像を造立。[2月] ・平泉毛越寺、炎上。[11月]	
1227	安貞1	・加藤景正、このころ瀬戸焼を始める。 ……	・道元、曹洞宗を開く。
1232	貞永1	・康勝、法隆寺金堂阿弥陀如来像を造立。[8月] …… ●明恵没(60歳)	・北条泰時、貞永式目を制定。
1233	天福1	……	・道元、「普勧坐禅儀」。
1235	嘉禎1	・藤原定家、「小倉百人一首」の元となる「嵯峨中院障子色紙形」を書く。[5月]	
1240	仁治1	・唐招提寺鼓楼造立。[7月]	
1241	2	●藤原定家没(80歳)	
1242	3	・当麻寺曼荼羅厨子扉なる。[5月]	
1243	寛元1	・当麻寺本堂須弥壇なる。[5月]	
1244	2	・元興寺極楽坊本堂なる。[6月] ・永平寺創建。道元を招請。[7月]	
1246	4	……	・蘭渓道隆、来日。
1250	建長2	・法隆寺西円堂、再建なる。[12月]	
1251	3	・吉野水分神社玉依姫像なる。[10月]	
1252	建長4	・鎌倉大仏(高徳院阿弥陀如来像)の鋳造が始まる。[8月]	
1253	5	・鎌倉建長寺創建(蘭渓道隆住持)。[11月] ……	・日蓮、日蓮宗を開く。

●＝没年　▲＝南北朝時代の北朝の年号

西暦	和暦	日本美術のおもな出来事	その他のおもな出来事
1253	建長5	●道元没(54歳)	
1254	6	・湛慶、蓮華王院(三十三間堂)千手観音像を造立。[1月]	
1258	正嘉2	・明通寺本堂上棟。[4月]	
1260	文応1	・鞍馬寺線刻天王像銅扉板なる。[7月]	・日蓮、「立正安国論」。
1262	弘長2	●親鸞没(90歳)	
1266	文永3	・蓮華王院(三十三間堂)本堂再建供養。[4月]	
1270	7	・西大寺金銅宝塔なる。[6月] ・明通寺三重塔上棟。[10月]	
1274	11	・日蓮、身延山久遠寺創建。[5月]	・文永の役(元寇)。 ・一遍、時宗を開く。
1275	建治1	・康円、神護寺愛染明王像を造立。	
1279	弘安2		・無学祖元、来日。
1281	4		・弘安の役(元寇)。
1282	5	・鎌倉円覚寺創建。無学祖元開山となる。[12月] ●日蓮没(61歳)	
1288	正応1	・滋賀金剛輪寺本堂建立。	
1289	2	●一遍没(51歳)	
1291	4	・南禅寺創建。	
1293	永仁1	・「蒙古襲来絵詞」このころなる。	
1299	正安1	・「一遍上人絵伝」なる。[8月]	
1306	徳治1	・金沢貞顕「群書治要」「侍中群要」を書写、校合する。	
1309	延慶2	・高階隆兼「春日権現験記絵巻」を描く。[3月]	
1324	正中1	・大徳寺創建。	・正中の変。
1325	2	・「石山寺縁起絵巻」詞書、このころなる。	
1329	元徳1	・大灯国師(宗峰妙超)墨跡「関山」。[2月]	・「徒然草」なるか。
1333	正慶2▲	・長野大法寺三重塔建立。[1月]	・鎌倉幕府滅ぶ。
1336	建武3▲		・室町幕府成立。
1338	暦応1▲	・石清水八幡宮、兵火により焼失。[7月]	
1339	2▲	・夢窓疎石、西芳寺(苔寺)庭園を築造。	
1344	康永3▲	・夢窓疎石、天竜寺庭園を築造。	
1351	観応2▲	●夢窓疎石没(77歳)	
1372	応安5▲	・羽黒山五重塔建立。[1月]	

西暦	和暦	日本美術のおもな出来事	その他のおもな出来事
1374	応安7▲	・観阿弥・世阿弥、今熊野神社で猿楽を上演。	
1378	永和4▲	・観心寺金堂、このころなる。	
1380	康暦2▲	・東寺西院御影堂上棟。[7月]	
1382	永徳2▲	・足利義満、相国寺を上棟。[11月]	
1386	至徳3▲	・幕府、京都・鎌倉五山の座位を定め、南禅寺を五山の上とする。[7月]	
1388	嘉慶2▲	・和歌山長保寺大門なる。	
1392	明徳3▲	…………	・南北朝合一。
1397	応永4	・兵庫鶴林寺本堂建立。[4月] ・足利義満、北山に鹿苑寺(金閣)造営。[4月]	
1400	7	・滋賀常楽寺三重塔建立。[5月] ・世阿弥、「風姿花伝」(花伝書)を著す。	
1404	11	…………	・勘合貿易始まる。
1405	12	・「柴門新月図」なる。[7月]	
1408	15	・明兆「涅槃図」なる。[6月]………… ・如拙「瓢鮎図」、このころか。	・このころ、五山文学、茶の湯、生け花が盛ん。
1410	17	・周文「芭蕉夜雨図」なる。[6月]	
1415	22	・興福寺東金堂再建なる。[5月]	
1426	33	・興福寺五重塔上棟。[6月]	
1429	永享1	…………	・尚巴志、琉球王国建国。
1438	10	・法隆寺南大門立棟。[11月]	
1439	11	・上杉憲実、足利学校を再興。[閏1月]	
1443	嘉吉3	●世阿弥没(81歳)	
1446	文安3	・伝周文筆「竹斎読書図」この年までになる。	
1449	宝徳1	・このころ、音羽屋九郎右衛門、京都に開窯。	
1450	2	・細川勝元、竜安寺を創建。[6月]	
1458	長禄2	・善阿弥、このころ相国寺の蔭涼軒庭園を作庭か。	
1461	寛正2	・秋篠寺の親鸞上人像なる。[11月]………… ・善阿弥、大乗院の樹木を検知。	・蓮如、初めての「御文」を書く。
1465	6	・墨渓「達磨図」なる。	
1467	応仁1	・応仁の乱により、社寺の被災相次ぐ。…………	・応仁の乱(～1477)。
1471	文明3	・蓮如、越前に吉崎御坊を建立。[7月]	

●＝没年　▲＝南北朝時代の北朝の年号

西暦	和暦	日本美術のおもな出来事	その他のおもな出来事
1474	文明 6		・一休、大徳寺住職に。
1479	11	・蓮如、山科に本願寺建立。[4月]	
1481	13	●一休宗純没(88歳)	
1486	18	・雪舟、毛利家本「山水図巻」を描く。[12月]	
1488	長享 2		・加賀一向一揆。
1489	延徳 1	・慈照寺(銀閣)上棟。[2月] ・善阿弥ら、銀閣の作庭を行う。	
1491	3	・大徳寺内に真珠庵創建。	
1495	明応 4	・雪舟、「山水図」を描く。[3月]	・北条早雲、小田原城を攻略。
1496	5	・雪舟「慧可断臂図」を描く。	
1499	8	・竜安寺石庭、このころなる。 ●蓮如没(85歳)	
1501	文亀 1	・雪舟「四季山水図屏風」を描く。	
1502	2	●村田珠光(茶道の祖)没(81歳)	
1503	3	・土佐光信「北野天神縁起絵巻」なる。[2月]	
1506	永正 3	・雪舟、この年までに医光寺・万福寺・常栄寺などの庭園を手掛ける。 ●このころ雪舟没(87歳)	
1515	12	・伝狩野元信筆「清涼寺縁起絵巻」なる。	
1517	14	・土佐光信ら「清水寺縁起絵巻」を描く。	
1525	大永 5	●土佐光信没(92歳)	
1543	天文 12	・伝狩野元信筆「山水花鳥図襖」このころなる。	・鉄砲伝来。
1549	18		・ザビエル来日。
1553	22		・川中島の戦い始まる。
1559	永禄 2	●狩野元信没(84歳)	
1560	3		・桶狭間の戦い。
1563	6	・狩野松栄「仏涅槃図」を描く。	
1566	9	・「鶉桜菊文辻ヶ花染小袖」なる。	・姉川の戦い。
1573	天正 1	・利休、織田信長の茶頭となる。[10月]	・室町幕府滅亡。
1574	2	・信長、狩野永徳筆「洛中洛外図屏風」を上杉謙信に贈る。[6月]	

西暦	和暦	日本美術のおもな出来事	その他のおもな出来事
1576	天正 4	・安土城築城[2月]。狩野永徳、襖絵を描く。 ・京都に南蛮寺竣工(1587破却)。 ・丸岡城天守なる。	
1577	5	・加藤源十郎(景成)、美濃に大萱窯を築く。 ・初代長次郎、千利休の指導で楽焼をつくる。	
1579	7	・安土城天守なる。[5月]	
1582	10	・安土城焼失。[6月] ・待庵このころなる。	・本能寺の変。
1583	11	・豊臣秀吉、大坂城の築城開始。[9月]	
1586	14	・秀吉、方広寺大仏殿着工。	
1587	15	・聚楽第なる。[9月] ・秀吉、北野大茶会を催す。[10月]	
1588	16		・刀狩令。
1590	18	●狩野永徳没(48歳) ・「檜図屏風」なる。	
1591	19	●千利休没(71歳)	
1592	文禄 1		・文禄の役。
1594	3	・伏見城完成。[8月] ・松本城天守着工。	
1597	慶長 2		
1598	3	・秀吉、醍醐寺三宝院表書院・庭園つくる。[12月] ・このころ、朝鮮半島より多数の陶工が渡来し、各地で開窯する。	・慶長の役。
1599	4	・京都大雲院で、池坊流の百瓶花会。[9月]	
1600	5	・園城寺勧学院客殿が完成し、狩野光信が障壁画を描く。[5月] ・狩野長信「花下遊楽図屏風」このころか。 ・陶工八山、鷹取山に開窯。	・関ヶ原の戦い。
1602	7	・徳川家康、東本願寺を創建させる。[2月] ・海北友松「山水図屏風」などを描く。 ・陶工尊楷、豊前で上野焼を始める。	
1603	8	・出雲阿国、京都で歌舞伎踊りを始める。[4月] ・宝厳寺唐門、豊国廟から移築。[6月] ・薩摩で苗代川焼が始まる。	・家康、征夷大将軍。
1604	9	・毛利輝元、李勺光らに萩で開窯させる。[11月] ・狩野内膳「豊国祭礼図屏風」なる。	・五街道に一里塚。

●＝没年

西暦	和暦	日本美術のおもな出来事	その他のおもな出来事
1605	慶長10	・狩野光信、相国寺の蟠竜図天井画制作。[10月] ・幕府、芝増上寺を造営。	
1606	11	・江戸城本丸御殿完成。[9月] ・彦根城天守完成。	
1609	14	・伊達政宗、松島瑞巌寺を建立。[3月] ・姫路城大天守なる。	
1610	15	・名古屋城の築城始まる。[2月] ・古田織部、徳川秀忠に点茶式を伝授。[9月] ●長谷川等伯没(72歳)	
1612	17	・小堀遠州、大徳寺竜光院内に孤篷庵を創建。	
1615	元和1	・本阿弥光悦、家康から洛北鷹峯の地を拝領し、光悦村をつくる。 ●海北友松没(83歳)●古田織部没(72歳)	・大坂夏の陣。 ・武家諸法度なる。
1616	2	・李参平、このころ有田天狗谷で初めて磁器を焼く。	
1617	3	・日光東照宮社殿完成。[3月] ・狩野探幽、幕府の御用絵師となる。	
1620	6	・桂離宮の造営始まる(～1625)。 ・西本願寺鐘楼なる。 ・狩野守信、醍醐寺山内の座敷絵を描く。	
1625	寛永2	・僧天海、上野寛永寺を建立(～1627)。[11月]	
1626	3	・二条城本丸御殿・二の丸御殿など竣工。狩野探幽ら襖絵を描く。	
1628	5	・鍋島藩、有田岩谷川内に鍋島窯を築く。	
1629	6	・池坊専好、宮中で大立花会を開催。[7月] ・徳川頼房、小石川後楽園の築造に着手。	・紫衣事件(沢庵ら流罪)。
1630	7	・俵屋宗達「西行法師行状絵巻」(毛利家本)を模写する。[9月]	
1632	9	・小堀遠州、南禅寺金地院の作庭を完了。	
1633	10	・狩野探幽、名古屋城上洛殿の障壁画を描く。	
1635	12	・俵屋宗達「風神雷神図屏風」このころなる。	
1636	13	・家光、日光東照宮改築。本殿・陽明門など竣工し、正遷宮が行われる。[4月]	
1637	14	・細川忠利、水前寺成趣園を着工(～1638)。 ●本阿弥光悦没(80歳)	・島原の乱(～1638)。
1638	15	●土佐光則没(56歳)●烏丸光広没(60歳)	

西暦	和暦	日本美術のおもな出来事	その他のおもな出来事
1640	寛永 17	・小堀遠州、孤蓬庵庭園を作庭。 ・岩佐又兵衛(勝以)「三十六歌仙図額」なる。	
1641	18	・小堀遠州、内裏造営着工。[3月] ・狩野探幽、大徳寺方丈襖絵を描く。	・オランダ商館を出島に移す(鎖国完成)。
1643	20	・酒井田柿右衛門、このころ赤絵焼に成功。 ●このころ俵屋宗達没(年齢不詳)	
1644	正保 1	・東寺(教王護国寺)五重塔再建。[7月]	
1647	4	●小堀遠州没(69歳)	
1651	慶安 4		・由井正雪の乱。
1654	承応 3	●狩野長信没(78歳)	・隠元、黄檗宗伝える。
1655	明暦 1	・野々村仁清、仁和寺で公卿に製陶の技を披露する。[9月] ・加賀の九谷村で、このころ陶磁器が焼かれる。	
1657	3	・明暦の大火で、江戸城本丸など焼失。[1月]	
1659	万治 2	・修学院離宮ほぼ完成。[4月]	
1661	寛文 1	・隠元、黄檗山万福寺開創。	
1664	4	・伊万里焼、このころ大量に輸出される。	
1666	6	●酒井田柿右衛門没(71歳)	
1670	10	・池田光政、閑谷学校を開設。	
1671	11		・河村瑞賢、東廻り航路開く。(翌年西廻り)
1673	延宝 1	・岩国錦帯橋なる。[10月]	
1675	3	・鍋島藩窯、このころ大川内山に移される。	
1685	貞享 2		・初の生類憐みの令。
1687	4	・宮崎友禅、このころ小袖模様を友禅染と命名。 ・池田綱政、津田永忠に岡山後楽園を築造させる。	
1688	元禄 1	・東大寺大仏殿復興工事起工(1709落慶供養)。	
1689	2		・芭蕉、奥の細道の旅へ。
1690	3	・土佐光起「大寺縁起絵巻」を描く。	
1691	4	・狩野永納「本朝画伝」(本朝画史)刊行。	
1694	7	●菱川師宣没(年齢不詳)	
1695	8	●円空没(64歳)	
1697	10	●千宗室没(76歳) ●狩野永納没(67歳)	
1699	12	・尾形乾山、京都鳴滝に開窯。	

●＝没年

西暦	和暦	日本美術のおもな出来事	その他のおもな出来事
1702	元禄15		・赤穂浪士討ち入り。
1704	宝永1	・尾形光琳「中村内蔵助像」を描く。	
1709	6	・英一蝶「四季日待図巻」このころなる。	
1715	正徳5	・尾形光琳「紅白梅図屏風」このころなる。	
1716	享保1	●尾形光琳没(59歳)	・享保の改革始まる。
1717	2	・奈良興福寺全焼。[1月]	
1720	5		・江戸町火消し設置。
1724	9	●英一蝶没(73歳)	
1729	14	●鳥居清信没(66歳)	
1731	16	・東大寺戒壇院の再建始まる。[10月]	
1743	寛保3	●尾形乾山没(81歳)	
1744	延享1	・出雲大社本殿、造成なる。	
1752	宝暦2	●宮川長春没(71歳)	
1759	9	・伊藤若冲作、鹿苑寺大書院の障壁画なる。 ・鈴木春信らがこのころ錦絵を創始。	
1765	明和2	・円山応挙「雪松図」なる。	
1766	3	・鈴木春信「坐鋪八景」このころなる。	
1768	5	・与謝蕪村「蘇鉄図屏風」なる。	
1770	7	●鈴木春信没(46歳)	
1771	8	・池大雅・与謝蕪村「十便図」「十宜図」なる。	
1774	安永3		・「解体新書」刊行。
1775	4	・大洲藩、有田より陶工を招き、砥部焼を始める。	
1776	5	・池大雅「楼閣山水図屏風」「山水人物図襖」この年までになる。 ●池大雅没(54歳)	
1779	8	・与謝蕪村「奥の細道図屏風」なる。 ●平賀源内没(52歳)	
1782	天明2		・天明の大飢饉。
1783	3	・司馬江漢、銅版画「三囲景図」の制作に成功。 ●与謝蕪村没(68歳)	
1784	4	・「漢委奴国王」金印、志賀島で発見。	
1787	7	・円山応挙「雪松図屏風」このころなる。	・寛政の改革(～1793)。

西暦	和暦	日本美術のおもな出来事	その他のおもな出来事
1790	寛政 2	・伊藤若冲「群鶏図襖」なる。	
1792	4	●勝川春章没(67歳)	
1793	5	・谷文晁「公余探勝図巻」なる。	
1794	6	・東洲斎写楽「江戸三座役者似顔絵」なる。翌年にかけて活躍し、姿を消す。	
1795	7	●円山応挙没(63歳)	
1800	12	・葛飾北斎「東都名所一覧」刊。 ●伊藤若冲没(85歳)	・伊能忠敬、蝦夷地測量(全国測量～1816)。
1802	享和 2	・谷文晁「木村蒹葭堂像」。	
1804	文化 1	・葛飾北斎、江戸護国寺で120畳敷の大達磨絵を描く。[4月]	
1806	3	・喜多川歌麿「婦人相学十躰」このころなる。 ●喜多川歌麿没(53歳)	
1809	6		・間宮海峡発見。
1810	7	●木喰上人(明満)没(93歳)	
1814	11	・葛飾北斎「北斎漫画」初編刊行。 ●歌川豊春没(80歳)	
1815	12	・酒井抱一、尾形光琳百年忌を営む。[6月] ●鳥居清長没(64歳)	・杉田玄白「蘭学事始」。
1818	文政 1	●司馬江漢没(72歳)	
1820	3	・浦上玉堂「凍雲篩雪図」このころなる。 ●浦上玉堂没(76歳)	
1821	4	・渡辺崋山「佐藤一斎像」なる。	
1822	5	・金沢兼六園、松平定信により命名される。	
1824	7	・青木木米「莬道朝暾図」なる。	
1825	8	●初代歌川豊国没(57歳)	・異国船打払令。
1827	10	・加賀藩邸の赤門(現東大赤門)完成。[11月]	
1828	11	●酒井抱一没(68歳)	・シーボルト事件。
1831	天保 2	・葛飾北斎「富嶽三十六景」このころなる。 ・田能村竹田筆「亦復一楽帖」なる。	
1833	4	・歌川(安藤)広重「東海道五十三次」このころから刊行始まる。	・天保の飢饉。
1834	5	・葛飾北斎「富嶽百景」初編刊行。	
1835	6	●田能村竹田没(59歳)	

●＝没年

西暦	和暦	日本美術のおもな出来事	その他のおもな出来事
1837	天保 8	・渡辺崋山「鷹見泉石像」なる。［4月］	・大塩平八郎の乱。
1839	10		・蛮社の獄。
1840	11	●谷文晁没（78歳）	
1841	12	●渡辺崋山没（49歳）	・天保の改革。
1842	13	・徳川斉昭、水戸偕楽園を築く。	
1843	14	・歌川国芳「源頼光公館土蜘作妖怪図」、天保の改革の風刺として回収される。	
1849	嘉永 2	●葛飾北斎没（90歳）	
1853	6		・ペリー、浦賀に来航。
1854	安政 1	・松山城天守閣、再建完了。	
1856	3	・歌川（安藤）広重「名所江戸百景」の刊行開始。［2月］	
1857	4	・蕃書調所に絵画調方が置かれ、川上冬崖が出仕。	
1858	5	・金沢城十三間長屋が完成。 ●歌川（安藤）広重没（62歳）	・安政の大獄始まる。
1859	6	・ワーグマン来日。高橋由一らを指導し、日本洋画の基礎をつくる。	
1860	万延 1	・横浜絵と呼ばれる浮世絵、このころ出版される。	・桜田門外の変。
1863	文久 3	・長崎グラバー邸完成。［1月］	
1864	元治 1	・箱館五稜郭完成。	・第一次長州戦争。
1865	慶応 1	・長崎大浦天主堂完成。［1月］	
1867	3		・大政奉還。

監修
久保恭子 ●くぼ・やすこ
1965年神奈川県に生まれる。立教大学文学部卒。公益財団法人佐野美術館学芸員勤務ののち、1994年公益財団法人日本美術刀剣保存協会刀剣博物館勤務。同館主任学芸員、博物館事業課長を歴任。2022年独立。日本刀の執筆、作品調査鑑定、鑑賞会講師等日本刀の啓発活動に従事。

協力●刀剣博物館学芸部、一般社団法人全日本刀匠会事業部、株式会社テレビせとうちクリエイト

カバーデザイン●長谷部貴志（長谷部デザイン室）
本文レイアウト●長谷部貴志、根岸郁乃（長谷部デザイン室）
イラスト●水田デザイン（水田純雄＋宗岡貴宏）：p24（埴輪）・p27（人物）・p29（人物）・p39（人物）・p46（人物）・p52・p55・p56・p59・p60・p62・p68 ～ p81・p84 ～ p91・p99・p101, 井本悠紀：p38 ～ p45, 吉村雪：上記以外

てのひら手帖 **図解 日本の刀剣**

2014年10月10日　初版第1刷発行
2024年 7 月10日　初版第9刷発行
監　修　久保恭子
発行者　大河内雅彦
発行所　株式会社　東京美術
〒170-0011　東京都豊島区池袋本町3-31-15
電話　03（5391）9031
FAX　03（3982）3295
https://www.tokyo-bijutsu.co.jp
編　集　関橋眞理（オフィスKai）
印刷・製本　大日本印刷株式会社

乱丁・落丁はお取り替えいたします。
定価はカバーに表示しています。

ISBN978-4-8087-1013-2 C0072